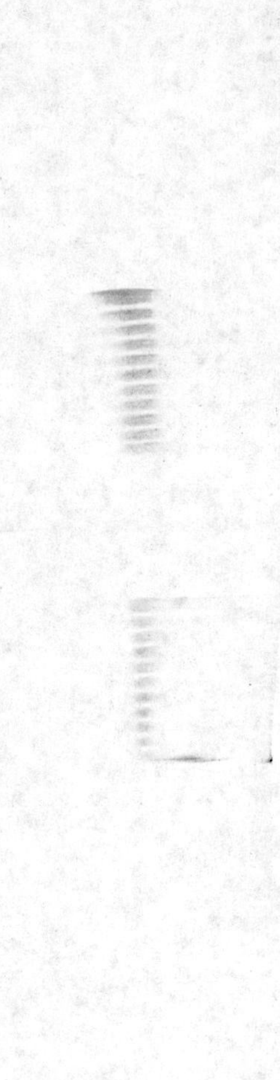

文史哲學集成

簡恩定著

中國文學復古風氣探究

文史哲出版社印行

國立中央圖書館出版品預行編目資料

中國文學復古 風氣探究 / 簡恩定著. -- 初版.
--臺北市 : 文史哲, 民８１
面 ; 公分. -- (文史哲學集成 ; 254)
ISBN 957-547-114-8(平裝)

1. 中國文學 - 哲學, 原理

820.1 81001361

㉕④ 文史哲學集成

中國文學復古風氣探究

著者：簡恩定
出版者：文史哲出版社
登記證字號：行政院新聞局局版臺業字五三三七號
發行人：彭正雄
發行所：文史哲出版社
印刷者：文史哲出版社
台北市羅斯福路一段七十二巷四號
郵撥〇五一二八八一二彭正雄帳戶
電話：三五一一〇二八

實價新台幣三二〇元

中華民國八十一年三月初版

ISBN 957-547-114-8

中國文學復古風氣探究　目錄

緒說

一、研究目的

細觀出現於中國文學史上的各種文學觀念，不論提出目的爲何，多少帶有一些復古理論色彩。至於所謂的「復古」，約有兩層含意：恢復古代樸實的文風（古代指的是魏晉以前）和重振儒家思想及所衍生的文學觀念。總括中國文學中的復古理論而言，有緣於尊道而復古者，亦有假復古之名以行革新文學之實者。爲尊道而復古的最大影響，是看輕爲文的修辭技巧，認爲無補於聖人之道，「文以載道」的觀念於是衍生。至於文學（不論形式、內涵）的革新，亦須假復古之名，其中緣由便甚爲複雜。一則自漢武帝獨尊儒術，儒家道統成爲中國文化主流之後，儒家對文學的觀念，諸如詩言志、思無邪等，也成爲後人崇奉的觀念。在此種情況下，文學功能實已偏向社會的教化作用，欲求革新文學者便不能忽視。次者，唐、宋以後，五經成了科考必讀之書，領袖文壇者，亦多出入場屋，爲文宗經的觀念逐漸根深蒂固。再者，兩漢以下，君權大量提昇，欲講文學革新者，必先滿足君權至高無上的要求，否則不易達成目標，而宗經、尊道的人倫思想，和維護君權實在大有關係。緣於上述因素，遂造成中國文學史上的復古風氣。根據以上所述，本論文預計處理下列問題：

1. 說明中國文學復古風氣的形成原因。
2. 探究中國文學復古理論的內涵。
3. 瞭解復古風氣對中國文學的影響。

二、研究背景

昔日曾於拙作〈明代文學何以走上復古之路〉文中指出：「科舉對於明代文學的影響，固不只是庸俗化而已。最大的傷害，恐是在於箝制學子的思想，不准於題外多作發揮。」（見臺北學生書局出版之《古典文學》第十集，頁一七五）箝制學子思想既然成爲明代復古者指斥的口實，比諸其他朝代復古風尚成因，又何獨不然？不過箝制學子思想所用方法不同而已。譬如漢立五經博士，雖於經學有倡盛之功，然而末季流於瑣碎的章句訓詁，致使儒學眞正涵義爲繁瑣的注經釋文所蔽。然而學者爲求利祿，仍然一意死守經文注解，思想已遭箝制；加上三國魏晉間戰亂頻仍，儒家思想便逐漸失去主導教化社會的力量。緣於此故，文學風氣也就離質而求文，偏向巧構形似之言的追求。流風所及，文學便「去聖久遠，文體解散；辭人愛奇，言貴浮詭；飾羽尚畫，文繡鞶帨；離本彌甚，將遂訛濫。」（劉勰《文心雕龍》〈序志〉）因此，劉勰才會提出「宗經」、「原道」的復古主張，來建立他的文學觀。除此之外，劉勰還注意到質文相稱，情采與風骨兼備，歸結而論，其實就是中國文學史上，假復古之名以行革新文學的最早典範。至於造成劉勰此種似復古實革新理論出現的遠因，則可以肇自漢武帝的獨尊儒術，以利祿倡導經學始。循此脈絡而下，可以發現，隋唐以後的文學復古觀念所以萌生，仍和帝王爲拔擢人才而頒定的考試制度有關。

另方面，由於文明不斷地發展，新奇事物日增，給予文人更多的描述對象。再加上時代日久，文人可以模擬的文學作品亦相對增多，因此便日漸重視詞采儷辭的寫作技巧，致與「言志」、「無邪」的儒家文學觀念逐漸隔離，而引起衞道人士的憂慮。又自後漢佛學東來，經三國、兩晉、南北朝而與老莊之學相結合，成了中國思想史的另一大宗。佛老對中國思想自有注入新血之功，然而一則抱持捨離人世之旨，一則强調順物無爲，難免消磨人類積極進取精神而與儒學原義相違。蓋儒學重在實踐，非如佛老之徒托諸空言而已。爲了防止文人專事藻繪之辭而無補於世用，以及排除佛老消磨積極入世精神之弊，因而有爲尊道而復古理論的提出。此種理論自唐代韓愈、柳宗元揭出「文以明道」始，至宋代周敦頤的「文以載道」，可謂到達顚峯。經明入清，此種載道理論仍然斷續存在至今。

因此，探討中國文學史上的復古風氣形成背景及其內涵，可以瞭解以儒家爲主的文化思想，與中國文學思想之間的重要關係；以及在君權至上，科考成了唯一進身之階的專制社會中，文人爲達文學革新而不得不托言復古的情形。

三、研究方法

本論文的研究方法，預定由下列五個方向進行：

1.從思想史上觀察儒家以「禮樂」爲主的藝術理念，與中國文學復古風氣間的關聯，並尋繹出其間的脈絡。

2.從政治史上探索西漢君權大量提昇後，對中國文學復古風氣的影響。

3.分析佛教思想對儒學的衝擊，和儒學對佛教思想的指斥，對中國文學復古風氣的影響。

4.歸納中國文學史上的重要復古理論，並討論其提出意義、演變、內涵，且予以評述。

5.評論復古風氣對中國文學造成的影響。

第一篇 導論：中國文學復古風氣的形成背景

第一章 儒家為主文化思想的形成及影響

如果詳細探索出現在中國文學史上的各種文學觀念，一定會發現其中帶有不少的復古理論色彩，這些標示著復古的文學觀念，究其內容，多少都和以孔子為主的儒家文化思想有關。換言之，儒家文化思想在一定程度上，提供中國文學復古風氣存在的理論基礎。因此，欲探究中國文學復古風氣的形成原因，須先瞭解儒家的文學觀念是如何興起及演變。本文即嘗試從㈠禮、樂為主藝術觀念之形成。㈡重質輕文之文學觀念。㈢文學教化功能理念之確立。三大部分來予以深究探討，希望藉此說明儒家文化思想對中國文學復古風氣的影響。

第一節 禮、樂為主藝術觀念之形成

禮、樂為儒家文化思想的兩大核心是今日人盡皆知的常識，但是如何演化成儒家文化思想的核心

，並成爲中國文學中重要藝術觀念，其中過程則頗有值得探究之處。欲釐清其中原由，請從禮、樂如何在中國萌芽述起。先論禮。

自從一九五三年，在陝西西安的滻河東岸半坡村附近，發現一座典型又完整的母系氏族社會村落開始，這個距今六千年前的半坡遺址，便成了中原地區遠古文明的具體象徵。楊東晨在〈爲何說半坡人是我們的祖先〉一文中說：「從『人面魚紋』圖騰崇拜的典型陶器看，與炎帝部族的氐人氏族『互人國』圖騰崇拜類似，因此，半坡氏族屬炎帝部落的氐族『互人國』後裔。」（陝西西北大學出版社出版之《半坡拾零》頁七）根據此一推論，所以認定半坡村的原住民是炎帝的後裔，也是華夏成員之一。

半坡氏族既是我們祖先之一，透過半坡遺址出土的文物器具，便可推測彼時先民的生活狀況。半坡遺址的北面即爲土地廣濶且肥沃的渭河平原，爲半坡人提供從事農業的優良自然條件。遺址出土與農耕有關的石斧、石鋤、石鏟，和收割穀物用的石刀、陶刀，以及石磨、石鑿、石杵等，共有七百三十五件，數量如此之多，足見當時農業已經發展到規模較大的鋤耕階段。半坡遺址另有發現內裝粟（作種子用）及白菜籽、芥菜籽的陶罐各一，正是當時居民從事農業行爲的鐵證。農業生產行爲的出現，亦即意味著先民開始由遷移的狩獵活動，進入定居階段，半坡遺址的發掘，恰能證明這一點。范志文在談及「半坡人的農業生產」文中說：

> 半坡人在這塊肥沃的高原上，砍伐樹木，墾土種植，營造房屋，按照氏族制度建立起他們的村

落，墓葬和陶窰圍繞在村落之外，與其構成了一個規則的統一整體。經科學考證，他們在此地定居長達千年之久，半坡原始氏族時代的人們取得生活資料的方式以農業爲主，農業生產活動逐步成爲主要部門，逐漸上升爲人們生活資料的基礎。（《半坡拾零》頁廿一～廿二）

半坡人的生活方式，既然開始按照氏族制度建立起村落，而且墓葬和陶窰就圍繞在村落外，那就表示他們對於居住已有規劃的觀念。此種規劃觀念經過大眾認可而確立之後，就變成氏族成員必須遵守的行爲規範。此種行爲規範，隱然呈現一股秩序感。以半坡遺址的村落中心爲例：「半坡村落的中心，是一座約一六〇平方米的大房子，……。進門後，前面是活動空間，後面則分爲三個小間。前面的空間可能是供氏族成員聚會、議事的場所；後面三個小間可能是氏族公社最受尊重的老祖母或氏族首領的住所。」（《半坡拾零》頁一四）這種房屋規劃的模式，同樣出現在一九七二年開始發掘的陝西臨潼縣姜寨遺址中①。聚會、議事與寢息的場所分別開來，不得相混，其實已經奠下後代宮室「前朝後寢」的建築雛型，而這種「前朝後寢」的建築雛型，正是氏族成員所認可規範下的產物。然後我們來看這種房屋規劃模式發展到重視禮文的周代是什麼樣子，《周禮・冬官・考工記》中記載：

匠人營國，方九里，旁三門，國中九經，九緯，經涂九軌。左祖，右社，面朝後市，市朝一夫。……。周人明堂，度九尺之筵，東西九筵，南北七筵。……。應門二徹參个，內有九室，九嬪居之；外有九室，九卿朝焉。

所謂「面朝後市」，鄭玄注謂：「言王宮所居也。」賈公彥疏則云：「謂經左右前後者，據王宮所居處中而言之，故云王宮所居也。」換言之，即謂王宮居處位於國之中，這種規劃，和位於半坡村落中心的大房子功能豈非極其相似！至於「應門」，就是王宮中的正門，九卿處理政事的九室在門外，至於九嬪治事之所則在門內，這種規劃方式，和半坡村落中心的大房子格局也有幾分相似處。這種規劃方式，剛開始可能爲了便於號令群眾的需要，但是在形成習俗規範之後，便成了一種準則。接著再舉半坡遺址出土的「甕棺」來討論。

「甕棺」是半坡村落用以埋葬未成年幼童的小陶甕，這些「甕棺」都是在村落居住區房子附近被發掘出來，有些甚至就埋在房子的門前。一般研究者都指出，這種埋葬方式是有特殊意義的：「在半坡時代，成人死後以各種方式葬于公共墓地，而不幸夭折的小孩卻用甕棺葬在居住區內房屋附近。這樣的長幼之別，實際上體現了母系氏族公社時期的一種習俗：未行成丁禮的幼童，是不能埋入氏族公共墓地的，他們被裝入『甕棺』，體現了母親對小孩的體貼和愛護。因死者年幼，遠離大人是容易被野獸傷害的，然而失去愛子的母親，又怎能讓自已的親骨肉去遭受如此劫難呢？」（《半坡拾零》頁卅六）除此之外，半坡遺址馳名中外的人面魚紋圖案，大多出現在這種「甕棺」的陶鉢上，其目的在於「以魚所具有的旺盛繁殖力來感應死者軀體，以求幼童亡靈的再次來世。」（《半坡拾零》頁四十二）這種習俗，顯然和當時的巫術與宗教儀式有關。

如果我們將半坡村落中心格局的規劃，視爲由事實需要演化而成的風俗準則；將「甕棺」及繪於其陶鉢上的人面魚紋圖案，視爲宗教的儀節。如此一來，與胡適分「禮」的概念爲三個時期的前二時期便雷同②，至於第三期的將「禮」加以合宜的制度，使「禮」合理化、道德化，則非此時人類文化思想所能及③。換言之，從半坡遺址出土的文物，可以說明「禮」概念的來源，與宗教、巫術需要及風俗習慣的演化有關。我們從現存古代文獻有關「禮」的記載，尚可探尋出一些脈絡痕跡，例如：

以玉作六器，以禮天地四方。以蒼璧禮天，以黃琮禮地，以青圭禮東方，以赤璋禮南方，以白琥禮西方，以玄璜禮北方，皆有牲幣，各放其器之色。以天產作陰德，以中禮防之；以地產作陽德，以和樂防之；以禮樂合天地之化，百物之產，以事鬼神，以諧萬民，以致百物。（《周禮．春官．大宗伯》）

禮也者，合於天時，設於地財，順於鬼神，合於人心，理萬物者也。（《禮記．禮器》）

凡治人之道，莫急於禮。禮有五經（按：指吉、凶、賓、軍、嘉五禮），莫重於祭（即指吉禮）。……。夫祭有十倫焉，見事鬼神之道焉；見君臣之義焉；見父子之倫焉；見貴賤之等焉；見親疏之殺焉；見爵賞之施焉；見夫婦之別焉；見政事之均焉；見長幼之序焉；見上下之際焉；此之謂十倫。（《禮記．祭統》）

不過從這些記載中，已可發現「禮」的概念層面。雖然仍與宗教、巫術需要（如「禮天地四方」、「事鬼神」）及風俗習慣（如「以諧萬民」、「合於人心」）有著密切關連，但是卻已由原始宗教、風俗儀節，延伸擴充到人際間的各種規範與秩序（如「見君臣之義」、「見父子之倫」、「見夫婦之別」等。「禮」的內涵由宗教儀節的需要，轉化到人際間的各種規範和秩序，顯然是經過長期的積累沈澱，錢杭在〈什麼是禮？它是怎樣起源的？〉文中說：「隨著人類對自然與社會各種關係的認識逐漸深入，僅以祭鬼神祖先爲禮，已經不能滿足人類日益發展的精神需要和調節日益複雜的現實關係了，於是，儀節的範圍和內容，就從各種神事擴至各種人事。」（上海古籍社一九八七年所編《中國文化史三百題》頁三五三）這種推論非常合理。至於「禮」內涵的系統化和制度化，根據王國維「殷周制度論」中說：「商人繼統之法，不合尊尊之義，其祭法又無遠邇尊卑之分，則於親親、尊尊二義皆無當也。周人以尊尊之義經親親之義，而立嫡庶之制；又以親親之義經尊尊之義而立廟制；此所以爲文也。」（《觀堂集林》卷十）可見大概成於殷周變革之際。這種涵蓋嫡長、分封、祭祀的禮制，不僅爲周朝奠下八百年的立國基礎，也在中國文化思想史上產生巨大影響。因爲相傳爲周公所定的「禮」，後來成爲以孔子爲首的儒家中心思想。儒家又何以視「禮」爲中心思想呢？因爲原始的儒者，本來就是「術士」，主要職責恐即爲傳授教導與宗教祭祀有關的儀節。隨著社會文明日益複雜，宗教祭祀的儀節便擴充到各種人事上④。周代既然特重禮制，於是負責傳授各種禮文的儒者，便在社會中具有特殊地位，此時「禮」的功能也有了確定的範疇，例如《禮記．曲禮上》說：

> 夫禮者，所以定親疏，決嫌疑，別同異，明是非也。
>
> 道德仁義，非禮不成；教訓正俗，非禮不備；分爭辯訟，非禮不決；君臣、上下、父子、兄弟，非禮不定；宦學事師，非禮不視；班朝治軍，涖官行法，非禮威嚴不行；禱祠祭祀、供給鬼神，非禮不誠不莊。

詳參「禮」的這些功能範疇，其實和孔子引「禮」歸「仁」的觀點頗爲一致。譬如孔子回答顏淵問「仁」先云：「克己復禮爲仁，一日克己復禮，天下歸仁焉。」再答「仁」之目謂：「非禮勿視，非禮勿聽，非禮勿言，非禮勿動。」（《論語・顏淵》）孔子顯然是想透過外在規範的制約，來達到「仁」的修養境界。換言之，原本外在形式規範的「禮」，變成人性內心情欲的制約。孔子所謂的「不學禮，無以立。」（《論語・季氏》）「不知禮，無以立也。」（《論語・堯曰》）皆應作如斯觀，此時的「禮」，已經成爲孔子的中心思想之一。

「禮」既然從孔子開始，由外在形式的規範變成人性情感的制約，於是便特別強調人性情的「和」，也就是所謂「喜怒哀樂之未發謂之中，發而皆中節謂之和。」（《禮記・中庸》）情感喜怒哀樂的呈顯須以「和」爲貴，對於宣洩情感的文學作品，自然便要求有所節制，不可過於痛快淋漓。不過純粹靠「禮」來達成人性情感中和的要求，仍然有其局限性，正如李澤厚在《華夏美學》書中所言：

「禮」無論如何又總是以外面來的規範、約束的秩序，它與人作爲血肉身心之軀的個體自然性的關係，實際上經常處在一種對峙的狀態中，即「禮」對人的身心的塑造和作用是從外面硬加上來的，是一種強制性的規定、制度，它與人的自然性的感官感受和情欲宣洩並沒有直接的必然聯繫。特別是當「禮」一方面在內容上日漸演化成爲特定的法規、制度，另方面在形式上又日漸淪爲純粹的外表、儀容的時候，它與人的內在心理情感的聯繫就更爲稀薄甚至脫節了。從而，本來將理性、社會性交融在感性自然性之中的原始的巫術圖騰活動，發展定型

爲各種禮制之後，這個交融的方面便不得不提出由與「禮」並行的「樂」來承擔了。（頁一九，此書爲臺北時報文化公司出版）

李澤厚此種推論，其實正是孔子「立於禮，成於樂。」（《論語・泰伯》）的演繹。因此，欲了解儒家「致中和」文化思想的形成，仍須對「樂」的功能加以論究。

「樂」字的初義，有認爲是「五聲八音總名」⑤；有以爲乃穀物成熟結穗，象徵人類對農作物收成的喜悅之情⑥。姑不論何解爲是，「樂」在現存文獻記載中，往往與「禮」相提並論，而且也和宗教祭祀有關。例如《禮記・樂記》中云：「若夫禮樂之施於金石，越於聲音，用於宗廟社稷，事乎山川鬼神，則此所與民同也。」《周禮・春官・大宗伯》云：「以禮樂合天地之化，百物之產，以事鬼神，以諧萬民，以致百物。」既是用來事奉山川鬼神以及宗廟社稷，當然和宗教祭祀有關。「禮樂」雖然相提並論，且與宗教祭祀有關，兩者之間的功能有否差異？舉《禮記・樂記》中的記載爲例來說明：

> 禮節民心，樂和民聲。
>
> 樂由中出，禮自外作。樂由中出，故靜；禮自外作，故文。大樂必易，大禮必簡。樂至則無怨，禮至則不爭。
>
> 大樂與天地同和，大禮與天地同節。
>
> 樂者，天地之和也；禮者，天地之序也。和，故百物皆序；序，故群物皆別。

經由這些內容，可以明確地看出，「禮」的特色在於外在的約束，「樂」的功能及特色則在於「和」（如「和民聲」、「與天地同和」）。「樂」的功能何以從「和」呢？李澤厚解釋謂：「因爲『樂』與『禮』在基本目的上是一致或相通的，都在維護、鞏固群體既定秩序的和諧穩定。」（《華夏美學》頁廿一）此種解釋略嫌含混而有失周嚴。因爲「樂」從「和」的功能與特色，早在社會「群體既定秩序」之前應已具備。譬如《呂氏春秋．大樂》中云：

形體有處，莫不有聲，聲出於和，和出於適。和、適，先王定樂由此而生。

既曰「和、適，先王定樂由此而生。」可見「樂從和」的特色早在「先王定樂」之前即已具有。換言之，「樂」從「和」的功能特色，應在文明社會開展之前即已存在。然而，「樂」又何以從「和」呢？

欲探討此一問題，請先注意《呂氏春秋．古樂》中的一段文字記載：

昔者朱襄氏之治天下也，多風而陽氣畜積，萬物散解，果實不成。故士達作爲五弦瑟，以采陰氣，以定群生。

「朱襄氏」就是炎帝的別號，亦即傳說中的神農氏。從這段文字中可以發現有兩個重點：㈠神農氏之時，曾經因爲陰陽失調而導致農作物欠收。㈡在士達作「樂」調和陰陽後，終於解決此一困境。雖然《呂氏春秋》的記載只是一種傳說，但是意義卻非比尋常。前文言及，中國早在半坡文化時代，已有農業生產行爲。以當時居民粗陋的農器和低微的農業知識，農業生產之有無，端賴天地自然是否風調雨順、冷熱適中。在這種情況下，對於天地自然間「和」的企盼和渴求，便成爲先民內心潛在的重要生存意識。《呂氏春秋》中謂「多風而陽氣畜積」指的就是天地自然失「和」，所以才會「萬物散解，果實不成。」這是非常嚴重的現象。爲了解除此種危機，先民於是透過宗教祭祀的儀式，來向天地自然獻「樂」⑦，祈求天地陰陽調和。作「樂」奉祀天地之目的既然在求得陰陽調和，「樂」的功能與特色當然必須從「和」。必如此解釋，《禮記・樂記》中所謂「大樂與天地同和」、「樂者，天地之和也。」方始有意義。

釐清「禮」、「樂」的內涵與功能之後，接下來便可以討論「禮」、「樂」如何轉化成中國文學中的重要藝術觀念。請從下例論起：

子曰：「〈關雎〉樂而不淫，哀而不傷。」（《論語・八佾》）

朱熹注謂：「淫者，樂之過而失其正者也；傷者，哀之過而害於和者也。」換言之，孔子所以稱道〈關雎〉，即在於〈關雎〉所表達的是一種「中和」之情，而此種「中和」之情的展現，正是得自於「禮樂」的薫陶。也就是說，由於「禮」的節制，〈關雎〉雖樂而不失其正，不失其正，故爲「中」；由於「樂」的陶冶，〈關雎〉雖哀而不傷無怨，不傷無怨，是爲「和」。基於此一觀點，故而孔子特別重視〈周南〉、〈召南〉的詩⑧。此種對於詩的中和之情的强調與重視，亦即詩教「溫柔敦厚」理論的根源。孔穎達疏解《禮記・經解》中「溫柔敦厚，詩教也。」云：「溫謂顏色溫潤，柔謂情性和柔，詩依違諷諫，不指切事情，故云：溫柔敦厚是詩教也。」所謂「顏色溫潤」、「情性和柔」，都是中和之情的一種表現。演變至此，我們可以發現「禮樂」的內涵與功能，已被巧妙地轉化爲對文學作品內涵的要求與規範。文學作品一旦强調必須出之以「中和」之情，在表達之時便不可流於憤激直率而須含蓄溫婉，因此所謂「興寄」、「深遠」、「餘韻」等便成爲寫作時最受重視的情感表達方式。此種規範確立之後，遂成爲日後中國文學復古風氣的理論淵源與基礎。若曰不然，再具下論。

首開唐代古文運動先聲的隋末大儒王通，於《中說》內對南朝文學的評論謂：

> 子謂文士之行可見：謝靈運小人哉！其文傲，君子則謹；沈休文小人哉！其文冶，君子則典。鮑照、江淹，古之狷者也，其文急以怨；吳筠、孔珪，古之狂者也，其文怪以怒；謝莊、王融，古之纖人也，其文碎；徐陵、庾信，古之夸人也，其文誕。或問孝綽兄弟，子曰：鄙人也，其文淫。或問湘東王兄弟，子曰：貪人也，其文繁。謝朓，淺人也，其文捷；江總，詭人也，其文虛。皆古之不利人也。（〈事君篇〉）

文中所擯斥之「文冶」、「文急以怨」、「文怪以怒」、「文碎」、「文誕」、「文淫」等等，都不符合爲文須持「中和」之情的規範。緣於此因，王通對南朝文人較滿意者，只有顏延之、王儉、任昉三人，原因是「其文約以則」，也就是說顏延之等三人，爲文之時，能以法度來節制，使作品的內容與形式不致流於詞繁意晦而有失「中和」。基於此種觀點，王通評論古今文學的優劣爲：「古之文也，約以達；今之文也，繁以塞。」（〈事君篇〉）在此種優劣的比較下，自然便昇起文學復古主張。再看唐初標舉復古大纛的陳子昂所倡導之理論，其〈與東方左史虬修竹篇序〉中云：

東方公足下，文章道弊五百年矣。漢、魏風骨，晉、宋莫傳，然而文獻有可徵者。僕嘗暇時觀齊、梁詩，彩麗競繁而興寄都絕，每以永嘆。思古人常恐逶迤頹靡，風雅不作，以耿耿也。（《陳伯玉文集》卷一）

在此篇序文中，陳子昂直接指出文章所以道弊五百年之因在於「風雅不作」與「彩麗競繁而興寄都絕」。換言之，陳子昂所以不滿齊梁詩，乃因齊梁作品只重視綺麗的修辭而缺乏「托物起興」、「因物喻志」的創作方式，而所謂「托物起興」、「因物喻志」也者，正是造成國風、二雅中正平和之音的創作手法。由於晉、宋以來，此種風、雅中正平和之音不作，因此陳子昂遂有復古之念。

此種對於文學作品中須出之以溫柔敦厚、中和之情的强調與提倡，使得《詩經》在中國文學史上取得至高無上的席位，凡是討論文學作品者，一律將《詩經》奉爲典範圭臬。正如清人丘煒萲於《五百石洞天揮麈》卷一中所言：「溫柔敦厚，詩之體；興觀群怨，詩之用。此八字被老生常談，已成口頭禪語。苟細思之，千古作詩、談詩者，又誰能舍此八字立腳？」由此可見，「禮樂」爲主藝術觀念的形成，並轉化爲對文學作品內涵的要求與規範——强調「中和」之情的呈顯，對中國文學中的復古風氣有著相當程度的影響。

【附註】

① 王秀娥與閻磊合著的《陝西的遠古人類和文化》書中頁六十九有云：「姜塞與半坡是一對姊妹遺址。完整的村落布局

與房屋遺迹，十分相似。從已發現的一百餘座房屋觀察，其結構與形式與半坡相同，村落中心爲廣場，面積約四千平方米，可能是氏族集會的場所。在廣場東西南北四個方向分布著五個建築群，每個建築群中心都有大房屋一座，而北部卻有平行的兩座，估計是村落的主體。這些大房屋和半坡的一樣，亦爲老人、兒童的集體宿舍。」（此書爲陝西西北大學出版社一九八八年十一月第一版）

② 胡適於《中國古代哲學史》中以爲：「『禮』的觀念凡經過三個時期。第一，最初的本義是宗教的儀節。第二、禮是一切習慣風俗所承認的規矩。第三，禮是合於義理可以做行爲模範的規矩，可以隨時改良變換，不限於舊俗古禮。」（見該書頁一二四，遠流出版公司一九八六年一版。）

③ 楊儒賓以爲胡適所分禮的三個階段，內容難免有相互重疊之處，言之頗爲成理。詳見所著臺大七十六年博士論文：《中國古代天人鬼神交通之四種類型及其意義》頁卅六。

④ 《說文》云：「儒，柔也，術士之稱。」又章太炎《國故論衡・原儒》中云：「古之儒知天文占候，謂其多技，故號偏施於九能，諸有術者悉晐之矣。」可見原始儒者的職責，與宗教祭祀有關。

⑤ 《說文》云：「樂，五聲八音總名，像鼓鞞木虡也。」

⑥ 詳見李澤厚《華夏美學》頁廿所引之言。

⑦ 所謂「士達作爲五弦瑟，以采陰氣。」更正確的解釋應該是說：士達作樂向天地鬼神奉祀，以求得陰陽調和。這種情形和《周禮・春官・大司樂》的記載：「乃奏黃鐘，歌人臺，舞雲門以祀天神；乃奏大蔟，歌應神，舞咸池以祭地祀。」是一樣的。

⑧ 例如《論語．陽貨》中的記載：「子謂伯魚曰：『女爲〈周南〉、〈召南〉矣乎？人而不爲〈周南〉、〈召南〉，其猶正牆面而立也與？』」可見孔子很重視〈周南〉與〈召南〉的詩。

第二節　重質輕文的文學觀念

前文已言及，自孔子而後，「禮樂」的內涵及功能，已被轉化爲對文學作品內涵的要求與規範，於是「中和」變成最高審美標準。所以，孔子才會有「質勝文則野，文勝質則史，文質彬彬，然後君子。」（《論語．雍也》）的言論。但是基本上，孔子的思想核心爲「仁」，而「仁」的根源是起於人性的內在自覺，所以孔子才會强調「爲仁由己，而由人乎哉！」（《論語．顏淵》）這種人性內在自覺功夫的完成，則全在「克己」兩字，如果無法「克己」，就算「禮」、「樂」也無法使人達到「仁」的境地，因此孔子才會慨嘆：「人而不仁，如禮何？人而不仁，如樂何？」（《論語．八佾》）如果我們將「克己」視爲仁之「質」，將「禮樂」視爲仁之「文」，顯然孔子是重質而輕文。從此論點出發，再看《論語、泰伯》中這段記載：

子曰：「如有周公之才之美，使驕且吝，其餘不足觀也已！」

周公之才之美是「文」，此種「文」，須有不驕不吝之「質」相配合，方有價值。一旦個性「驕且吝」，也就是失去「質」，再好之才之美便不足觀①。經由以上論述，可以發現孔子是將原屬道德的「

善」立於任何形式美之上，所以他對於六藝（詩、書、禮、樂、易、春秋）之文所採的態度是「行有餘力，則以學文。」既言「行有餘力」，足見並非將六藝之文立於首位，他所注重的是「入則孝，出則弟，謹而信，汎愛衆，而親仁。」（《論語・學而》等德性。如果我們將六藝之文視爲廣義的文學作品，孔子顯然已有了重質輕文的文學觀念②。

對文學的觀念既是重質輕文，自然便偏重文學的內容而忽略形式與修辭。因此，孔子主張：「辭，達而已矣。」（《論語・衞靈公》）朱熹解釋謂：「辭取達意而止，不以富麗爲工。」換言之，孔子以爲，文章的修辭能表達作者之意即可，不必過於華麗。基於此種論點，故而孔子以後的儒家，對於文內之奇辭、虛辭、怪說，大多不以爲然。譬如荀子在〈非十二子篇第六〉中云：「不法先王，不是禮義，而好治怪說，玩琦辭，甚察而不惠，辯而無用，多事而寡功，不可以爲治綱紀。」所謂「怪說」、「琦辭」，由於缺乏禮義的節制，所以流於粉飾而無用。至於過分强調修辭來博論是非，荀子更以爲是「大姦」，是以〈解蔽篇第廿一〉中云：「傳曰：析辭而爲察，言物而爲辨，君子賤之。」〈正名篇第廿二〉又云：「故析辭擅作名以亂正名，使民疑惑，人多辨訟，則謂之大姦。」緣於此因，對善於言辭的惠施所下之評語便爲：「惠子蔽於辭而不知實。」（〈解蔽篇〉）然而荀子所推崇贊許之文學觀念爲何？〈非相篇第五〉中有云：

文而致實，博而黨正，是士君子之辯者也。

楊倞注云：「文謂辯說之詞也。致，至也。黨與讜同，謂直言也。凡辯則失於虛詐，博則失於流蕩，故致實黨正爲重也。」所謂「直言」就是一種「質」的表現，指的是文詞不過於修飾，亦即孔子所言「辭，達而已矣。」之意。

此種因重質輕文而產生對過度修辭排斥之文學觀念，自漢代以後，一直爲中國文學復古者所倡導與遵循。揚雄在晚年所著的《法言》中，隨處流露出復古思想，譬如〈吾子篇〉中云：「好書而不要諸仲尼，書肆也；好說而不要諸仲尼，說鈴也。」這種主張，正是後來劉勰所謂的「徵聖」。又〈問神篇〉中云：「書不經，非書也；言不經，非言也。言書不經，多多贅矣。」此種論點，豈非劉勰「宗經」之意？所謂「徵聖」、「宗經」，實際上就是以儒家爲主的復古思想。揚雄的復古思想既然以儒家文化思想爲主要內涵，自然也受其重質輕文，排斥過度修辭的文學觀念影響。譬如《法言・吾子》中云：

或曰：女有色，書亦有色乎？曰：有。女惡華丹之亂窈窕也，書惡淫辭之淈法度也。

就「書亦有色」的觀點而言，揚雄並非完全摒棄辭采之美，但是卻反對過分的華麗修辭，所以才會說「書惡淫辭之淈法度」。此種排斥超越修辭法度的論點，也就是揚雄分別「詩人之賦麗以則，辭人之賦麗以淫」之意。〈吾子〉篇中又云：

或問：君子尚辭乎？曰：君子事之爲尚。事勝辭則伉，辭勝事則賦，事辭稱則經，足言足容，德之藻矣！

事勝於辭不免於率直之病，辭勝於事卻有虛過之弊，因此揚雄主張事辭相稱，如此乃合於經典。然而若必於事、辭間作一取捨，則揚雄以爲「君子事之爲尙」，亦即謂君子貴事實（質）而賤虛辭（文）。由上可知，揚雄顯然有重質輕文而排斥過度修辭的觀念。再看隋代李諤的〈上隋高帝革文華書〉：

魏之三祖，更尚文詞，忽君人之大道，好雕蟲之小藝。下之從上，有同影響，競騁文華，遂成風俗。江左齊梁，其弊彌甚，貴賤賢愚，惟務吟詠。遂復遺理存異，尋虛逐微，競一韻之奇，爭一字之巧。連篇累牘，不出月露之形；積案盈箱，唯是風雲之狀。世俗以此相高，朝廷據茲擢士。祿利之路既開，愛尚之情愈篤。於是閭里童昏，貴游總丱，未窺六甲，先制五言。至如義皇、舜、禹之典，伊、傅、周、孔之說，不復關心，何嘗入耳？……。及大隋受命，聖道聿興，屛出輕浮，遏止華僞。自非懷經抱質，志道依仁，不得引預搢紳，參廁纓冕。（《隋書》卷六十六〈李諤傳〉）

此書將六朝巧構形似之文幾盡全盤否定，理由是六朝之文「遺理存異，尋虛逐微。」亦即指斥六朝文學作品在內涵上違反儒家之理，只追求不切實際的華麗辭藻與聲律。換言之，即謂六朝文學作品，偏重形式（文），忽略內容（質）。基於此種觀點，李諤甚至建議：「至有宗黨稱孝，鄉曲歸仁，學必典謨，交不苟合，則擯落私門，不加收齒；其學不稽古，逐俗隨時，作輕薄之篇，結朋黨而求譽，則選充吏職，舉送天朝。……。請勒有司，普加搜訪，有如此者，具狀送臺。」一凡是學不稽古，作爲輕薄之篇者，一律送御史臺治罪。由上述可知，李諤所以倡導學必稽古，乃是起於對爲文不懷經抱質、志道依仁而只重華麗修辭風氣的不滿。究其內涵，實是受儒家重質輕文之文學觀念影響。再看唐代倡導古文運動的韓愈、柳宗元所揭櫫之文學主張。

韓愈與柳宗元論文雖然不廢文采，如韓愈有「辭不足，不可以爲成文。」（〈答尉遲生書〉、《韓昌黎全集》卷十五）之說，柳宗元有「闕其文采，固不足以竦動其聽，夸示後學。」（〈楊評事文集後序〉、《柳河東全集》卷廿一）之論。但是基本上，韓愈所以不廢文采，乃因「學古道則欲兼通其辭；通其辭者，本志乎古道者也。」（〈題歐陽生哀辭後〉、《韓昌黎全集》卷廿二）柳宗元則是緣於「道假辭而明，辭假書而傳，要之，之道而已耳。」（〈報崔黯秀才書〉、《柳河東全集》卷卅四）反之，文章如果已能夠求實、明道，便不須務富文采而誇多鬥靡。所以韓愈在〈送陳秀才彤序〉中云：

> 讀書以爲學，纘言以爲文，非以誇多而鬥靡也。蓋學所以爲道，文所以爲理耳。苟行事得其宜，出言適其要，雖不吾面，吾將信其富於文學也。（《韓昌黎全集》卷廿）

柳宗元亦於〈答吳武陵論非國語書〉中云：

> 夫爲一書，務富文采，不顧事實，而益之以誣怪，張之以闊誕，以炳然誘後生，而終之以僻，是猶用文錦覆陷穽也。不明而出之，則顛者眾矣。（《柳河東全集》卷三十一）

韓、柳二人此種立論，基本上仍受儒家重質輕文觀念的影響，所以韓愈才會認爲只要「行事得其宜，出言適其要。」就是富於文學；柳宗元則對「務富文采，不顧事實。」不以爲然。

除了以上所舉諸家外，明代初期的復古派大師宋濂，其文學主張亦受儒家重質輕文觀念之影響。

宋濂在〈文原〉中先是强調聖賢之文必有實，未嘗以徒言爲，其言謂：「禹敷土，隨山刊木，奠高山大川。既成功矣，然後筆之爲《禹貢》之文。周制聘覲燕享，饋食昏喪諸禮，其升降揖讓之節，既行之矣，然後筆之爲《儀禮》之文。孔子居鄉黨，容色言動之間，從容中道，門人弟子，既習見之矣，然後筆之爲〈鄉黨〉之文，其他格言大訓，亦莫不然，必有其實，後文隨之，初未嘗以徒言爲也。」（《宋文憲公全集》卷廿六）這裏的「實」，顯然指的是聖賢的行爲、義理、事功。爲文既然是用來表現聖賢的行爲、義理、事功，當然就不須華麗的修辭而只要求內容，所以便主張「大抵爲文者，欲其辭達而道明耳，吾道既明，何問其餘哉。」（〈文原〉）此種言論，豈非孔子「辭，達而已矣。」之引申！

經由以上論述，可知儒家思想所衍化而成的重質輕文觀念，實爲中國文學史上復古思想的立論基礎之一。至於由此引申而成的重內容、輕修辭之文學主張，更成爲日後「以意爲主」文學理論的發端③。

【附註】

① 此種重質輕文的觀念，《論語》中尙有記載，例如〈八佾〉篇中所記：「子夏問曰：『巧笑倩兮，美目盼兮，素以爲絢兮。』何謂也？子曰：繪事後素。曰：禮後乎？子曰：起予者商也！始可與言詩已矣！」孔子所謂「繪事後素」，就是說美在質而文飾次之，也是一種重質輕文的觀念。

② 不過此種重質輕文的觀念，並非意味著孔子只偏重質而完全不重視文。依孔子之意，萬一文、質之間必須作一取捨，他是寧可取質而棄文。所以孔子在回答林放問禮之本時才會說：「禮，與其奢也，寧儉；喪，與其易也，寧戚。」

③ 譬如杜牧在〈答莊充書〉中云：「凡爲文以意爲主，以氣爲輔，以辭彩章句爲之兵衛。……。是以意全勝者，辭愈樸而文愈高；意不勝者，辭愈華而文愈鄙。」（《樊川文集》卷十三）這種主張，也是重視文章的內容而輕修辭。

第三節　文學教化功能理念的確立

文學教化功能理念所以確立，和儒家以禮樂爲主藝術觀念的形成大有關係。因爲「禮樂」的最大功能在於「致中和」，也就是培育人的中正平和之情；人的性情一旦中正平和，就不會有犯上作亂的行爲，社會、國家便自然安定，這就是「治」，反之則爲「亂」。是以「觀其禮樂而治亂可知」（《禮記・禮器》）便成爲儒家評量政治教化的主要信條。當「禮樂」此種功能被孔子轉化爲對文學作品內涵的要求之後，文學教化功能之理念於爲產生。《論語・陽貨》中記載：

子曰：「小子何莫學乎《詩》？《詩》可以興，可以觀，可以群，可以怨，邇之事父，遠之事君，多識於鳥獸草木之名。」

毛毓松在〈孔子詩學觀的評價——《論語》評析〉文中解釋興、觀、群、怨之意義云：

「興」不是指文學的感染作用，也不是直接牽連禮義政教，而是由詩中的具體事物連及義理，通悟禮樂以至比附政治。

「觀」的目的，是爲了如何去修身養性、立身行事。孔子正是因爲留戀先王時代風俗道德的醇美，才慨嘆當時風俗道德的衰敗，正是因爲羨慕先王時代禮樂制度的完善，才慨嘆當時禮崩樂壞，并以「德之不修、學之不講」爲其憂。因此「詩可以觀」，並不是指文學的「認識作用」，而是把學詩看作是修身養性的手段。

「群」是指貴族卿大夫的「群居賦詩」，以此來達到統治階級內部以及諸侯國之間關係的和諧。

「怨」決不是可以隨意批評政治，它必須「止乎禮義」，必須不違犯君臣人倫之道。（以上所引皆出自趙盛德主編之《中國古代文學理論名著探索》頁十～十二，此書爲廣西師範大學出版社一九八九年二月第一版。）

此種解釋，將孔子所列舉《詩經》中「興、觀、群、怨」的教化功能，闡析得頗爲詳盡。由上可知，孔子對於《詩經》是著重其教化功能而非文學技巧，其他如「思無邪」（《論語・爲政》）、「不學詩，無以言。」（《論語・季氏》）等言論，皆應作如斯觀。至於《詩經》中「興、觀、群、怨」的教化功能，在孔子時代是如何表現？且看《左傳》襄公廿七年中的記載：

鄭伯享趙孟于垂隴，子展、伯有、子西、子產、子大叔、二子石從。趙孟曰：七子從君以寵武也，請皆賦以卒君貺武，亦以觀七子之志。子展賦〈草蟲〉，趙孟曰：善哉！民之主也。抑武也不足以當之。伯有賦〈鶉之賁賁〉，趙孟曰：牀第之言不踰閾，況在野乎？非使人之所得聞也。子西賦〈黍苗〉之四章，趙孟曰：寡君在，武何能焉！子產賦〈隰桑〉，趙孟曰：武請受其卒章。子大叔賦〈野有蔓草〉，趙孟曰：吾子之惠也。印段則〈蟋蟀〉，趙孟曰：善哉！保家之主也，吾有望矣。公孫段賦〈桑扈〉，趙孟曰：匪交匪敖，福將焉往。若保是言也，欲辭福祿，得乎？卒享，文子告叔向曰：伯有將爲戮矣！詩以言志，志誣其上而公怨之，以爲賓榮，其能久乎？幸而後亡。叔向曰：然，已侈，所謂不及五稔者，夫子之謂矣。文子曰：其餘皆數世之主也，子展其後亡者也，在上不忘降。印氏，其次也，樂而不荒：樂以安民，不淫以使之，後亡不亦可乎！

趙文子就是以爲伯有所賦〈鶉之賁賁〉詩之志，透露出誣蔑自已國君鄭伯之嫌且公開表示怨恨之意，此非臣下之道，所以斷言伯有必先遭誅戮之禍。至於子展所賦〈草蟲〉詩之志，則懂得居上謙沖之道，可以爲民之主，故而認定子展將是七人中最後滅亡者。在此種賦詩見志風尚之下，詩經的文學教化功能遂益形重要。至詩經教化功能理念之確立，則必歸於〈毛詩序〉，其內容謂：

詩者，志之所之也。在心爲志，發言爲詩。情動於中而形於言，言之不足，故嗟歎之；嗟歎之不足，故永歌之；永歌之不足，不知手之舞之足之蹈之也。情發於聲，聲成文謂之音。治世之音安以樂，其政和；亂世之音怨以怒，其政乖；亡國之音哀以思，其民困。故正得失，動天地，感鬼神，莫近於詩。先王以是經夫婦，成孝敬，厚人倫，美教化，移風俗。

此篇內容，不僅成爲日後文學復古者重要理論依據，也是後代「美刺」論詩說的來源。譬如唐代自稱「小子志雖復古，力不足也。」（〈答荊南裴尚書論文書〉、《全唐文》卷五二七）的柳冕所云：

夫文生於情，情生於哀樂，哀樂生於治亂。故君子感哀樂而爲文章，以知治亂之本。屈宋以降則感哀樂而亡雅正，魏晉以還則感聲色而亡風教，宋齊以下則感物色而亡興致。教化興亡則君子之風盡，故淫麗形似之文皆亡國哀思之音也。（〈與滑州盧大大夫論文書〉、《全唐文》卷五二七）

柳冕認爲世有治亂，故情有哀樂。因此，文章若是感哀樂而發，所描述者必爲治亂中所感受的哀樂之情。如此一來，所寫作品便有垂誡後人之用，而此種垂誡作用，即是詩經「正得失」功能之一。除此之外，柳冕又明白提出「文章本於教化」之說，諸如下例：

文章本於教化，形於治亂，繫於國風。故在君子之心爲志，形君子之言爲文，論君子之道爲教。（〈與徐給事論文書〉、《全唐文》卷五二七）

堯舜歿，雅頌作，雅頌寢，夫子作，未有不因於教化，爲文章以成國風。（〈答荊南裴尚書論文書〉、《全唐文》卷五二七）

夫文章者，本於教化，發於情性。本於教化，堯舜之道也；發於情性，聖人之言也。（〈答徐州張尚書論文武書〉、《全唐文》卷五二七）

此種文章本於教化之說，即是〈毛詩序〉中「先王以是經夫婦，成孝敬，厚人倫，美教化，移風俗。」之理論演繹。綜而言之，柳冕所以有復古之志，即是感於屈、宋以下之文，本於哀豔，務於恢務，致失教化作用的緣故；而文章本於教化之說，正是柳冕受儒家思想影響所發展出來的文學復古理論。再看白居易對文學教化功能理念的倡導與宣揚。

白居易所以極力倡導文學的教化功能，乃因認定自周衰秦興，採詩官廢之後，詩道即已逐漸崩壞。至於白居易所指的詩道，就是詩經的風雅比興之道，也就是孔子「興、觀、群、怨」的詩觀。白居易以爲遵循此種詩道寫成之文學作品，可以達到「言者無罪，聞者作戒，莫不兩盡其心焉。」（〈與元九書〉、《白氏長慶集》卷廿八）的地步，故而認定詩經爲作詩及論詩的最高典範。因此，若要挽回崩壞的詩道，寫作時應該「六義互鋪陳，風雅比興外，未嘗著空文。」（〈讀張籍古樂府〉、《白氏長慶集》卷一）和「爲君、爲臣、爲民、爲物、爲事而作，不爲文而作。」（〈新樂府序〉、《白氏長慶集》卷三）基於此種論點，不僅對純粹嘲風雪、弄花草之作不以爲然，即連李、杜詩都頗有微詞，原因是「李之作，才矣奇矣，人不逮矣，索其風雅比興，十無一焉。」至於杜詩，雖已有盡工盡善之美名，但是「撮其新安吏、石壕吏、潼關吏、塞蘆子、留花門之章，『朱門酒肉臭，路有凍死骨』之句，亦不過三、四十首①。」這種以風雅比興爲論詩、作詩的最高準則，來要求詩歌應該達到補察時政的作用，已將文學的教化功能理念發揮到極限。

經由上述所論可知，受儒家思想影響所形成的文學教化功能理念，對後代文學復古風氣者提供相當堅實的理論基礎。至於其中緣由，乃因復古者深信詩道崩壞即爲人心敗壞的徵兆；因此，欲挽救人心，必先恢復詩道。此種思考模式一旦形成，文學自然便趨向復古之途。

嚴格說來，儒家文化思想對中國文學的影響是全面而非局部。不過由於自孔子起，即已建立一套好古、述古的學習態度，因此對於後代文學復古風氣的形成影響便最大。凡是想藉著文學作品內涵來扭轉時弊，移風易俗者，自然便會以儒家文化思想所延伸而出的文學觀念爲圭臬，文學復古風氣於焉產生，在前文列舉的三個儒家文學觀念之中，又以「禮、樂爲主藝術觀念之形成」影響最爲深遠。因爲所謂「重質輕文」、「文學教化」等文學觀念，無非强調文學作品不可過度重視修辭而忽略內容，並因而導致腐蝕人心，無補於時政。凡此種種，又非靠「禮、樂」的節約調和不爲功。李澤厚於《華夏美學》書中云：「『禮樂傳統』至今仍在華族廣大人民中有其影響，它已積澱爲特定的文化心理結構，也正因爲如此，作爲它的自覺的承繼者和發揚者，儒家美學才有其歷久不衰的生命力量，而成爲華夏美學的主幹。」（頁四十二）換言之，由於「禮樂傳統」已積澱爲中國特定的文化心理結構，而成爲華夏美學的主幹，所以儘管時至今日，論述或創作文學者，亦時有復古言論出現。明瞭此中緣由之後，實在不必另加責難。

【附註】

①《舊唐書》卷一六六白居易本傳作「亦不過十三四」，應以此爲是。

第二章　兩漢以後君權提昇之影響

中國君權之逐漸加重，論者率皆以爲始自秦朝，原因無他，蓋「皇帝」之稱，自秦方有。《史記・秦始皇本紀第六》載：

丞相綰、御史大夫劫、廷尉斯等皆曰：「昔者五帝地方千里，其外侯服夷服，諸侯或朝或否，天子不能制。今陛下興義兵，誅殘賊，平定天下，海内爲郡縣，法令由一統，自上古以來未嘗有，五帝所不及。臣等謹與博士議曰：『古有天皇，有地皇，有泰皇，泰皇最貴。』臣等昧死上尊號，王爲『泰皇』。命爲『制』，令爲『詔』，天子自稱『朕』。」王曰：「去『泰』著『皇』，采上古『帝』位號，號曰『皇帝』。他如議。」

然而秦王政雖始稱皇帝，由於享國不長，天下爲私觀念的肇建與奠立，則必待漢高祖劉邦。《史記・高祖本紀第八》中記載云：

六年，高祖五日一朝太公，如家人父子禮。太公家令説太公曰：「天無二日，土無二王。今高祖雖子，人主也，太公雖父，人臣也。奈何令人主拜人臣？如此則威重不行。」後高祖朝，太公擁篲，迎門卻行。高祖大驚，下扶太公，太公曰：「帝，人主也，奈何以我亂天下法！」於是高祖乃尊太公為太上皇，心善家令言，賜金五百斤。未央宮成，高祖大朝諸侯群臣，置酒未央前殿。高祖奉玉卮，起為太上皇壽，曰：「始大人常以臣無賴，不能治產業，不如仲力。今某之業所就，孰與仲多？」殿上群臣皆呼萬歲，大笑為樂。

既然視天下為私產，則併有天下者自然形成唯我獨尊的心態，雖親生父母亦視同人臣。太公所云「奈何以我亂天下法」一語，充分顯示欲天下臣民以己為榜樣，永固漢高祖「產業」的心態。天下既為私產，掌握此私產者，自然衍生支配私產以及不容旁人染指的觀念，於是對臣下的舉止行為便逐漸欲予約束。因而叔孫通一定朝儀，高祖見「自諸侯王以下莫不震恐肅敬。至禮畢，盡伏，置法酒，諸侍坐殿上皆伏抑首，以尊卑次起上壽。」不覺自嘆「吾乃今日知為皇帝之貴也。」（詳見《漢書・叔孫通傳》）自此而後，君益尊而臣益卑遂成為中國歷史上的常態①。有關中國文學復古風氣的衍生，即與兩漢之後君權逐代提昇的現象大有干係，以下便略分數項來予以討論。

第一節　滿足君權至高無上的要求

君權自兩漢之後大量提昇，當然亟需一套理論使其合理化，於是強調綱紀、尊王人倫思想的儒家便受到青睞而獨尊。然而所謂綱紀、倫常、尊王等主張，雖爲儒家思想的大要，其內涵精神卻爲歷代君王扭曲，而成爲單向要求臣民效忠的工具，即以號稱崇儒的西漢而言，正如陳登原所言「武帝以後，無非餌以青紫，誘以祿利，實際情況，不過以法律爲詩書而已。」（詳見所著《國史舊聞》一五四條〈西漢崇儒〉②簡言之，歷代君王之所謂倡導儒術云云，不過拾取儒術中便於鞏固君權、駕馭臣民之部分而已，至於不利君權的部分（譬如孟子草芥、寇讎之比），便棄如敝屣，甚至不許流傳。在此種專斷君權統治下，語言文字之作的首要限制便是不許訕謗，否則輕則貶斥，重則處死。歷史上因爲涉及語言文字的訕謗而遭受不幸者，可謂代有其人③。除此之外，帝王爲了鞏固皇權，往往專擅猜忌，臣下動輒得咎，例如《南史·宋明帝本紀》謂明帝「末年好鬼神，多忌諱，言語、文書有禍敗凶喪疑似之言應回避者，犯即加戮。」《北史·隋煬帝本紀》謂隋煬帝「又猜忌臣下，無所專任，朝臣有不合意者，必構其罪而族滅之。」身處此種局勢中的文人學士將如何抒寫文學作品而自免於禍？唯一的方式便是在創作之時，兼能滿足君權至高無上的要求。問題是：要如何達成呢？先看漢宣帝對當時議者以爲辭賦乃淫靡不急的回答：

不有博奕者乎！爲之猶賢乎已。辭賦大者與古詩同義，小者辯麗可喜，辟如女工有綺穀，音樂有鄭衞，今世俗猶皆以此虞說耳目。辭賦比之，尚有仁義風諭，鳥獸草木多聞之觀，賢於倡優博奕遠矣。（《漢書王褒傳》卷六十四）

此段文字可說是歷代帝王對於文學作品看法的代表總論。換言之，文學作品必須符合「大者與古詩同義，小者辯麗可喜」二大條件，才會爲帝王接受，甚至提倡。「辯麗可喜」一語意義明白，勿庸贅述，然而所謂「與古詩同義」一語，卻值得再三玩索探究。漢宣帝既然自言「辭賦比之，尙有仁義風諭，鳥獸草木多聞之觀」，則「古詩」一語必然意指《詩經》中的作品。因此，所謂「辭賦大者與古詩同義」云者，顯然是在强調辭賦的作法與功能，有和《詩經》作品相同之處。《詩經》作品的作法與功能在漢人的心目中爲何？只要查看備受漢人尊崇的〈詩序〉內涵便可得知，〈詩序〉內容，人皆熟知，勿庸贅述，其中所謂「先王以是經夫婦、成孝敬、厚人倫、美教化、移風俗。」顯然是著重於教化功能，至於「主文而譎諫，言之者無罪，聞之者足以戒。」則是在要求作品不可直斥而必須出言溫婉。對《詩經》的看法既然如此，與《詩經》同義的辭賦當然在作法上也被如斯要求。漢代的辭賦家即是遵循此種要求而作，因而廣受帝王喜好提倡。

帝王對文學創作的要求既然設定如此，所謂溫柔敦厚、不可直斥的文學創作技巧，不僅成了滿足君權至高無上的唯一選擇，而且衍成後代文人遵崇的創作標準。於是每當文學風氣脫離此一範疇而逐漸偏向形式美的追求之時，便會有人以有傷風雅、無關教化爲由，大肆抨擊，並倡導美教化、移風俗、不忍直言的文學復古運動。由於這種復古主張有利於君權的鞏固與提昇，往往會得到專制帝王的支持，譬如李諤基於隋初文風體尙輕薄，思欲改革所作的〈上隋高帝革文華書〉：

> 臣聞古先哲王之化民也，必先變其視聽，防其嗜欲，塞其邪放之心，示以淳和之路。五教六行爲訓民之本，詩、書、禮、易爲道義之門。故能家復孝慈，人知禮讓，正俗調風，莫大於此

。其有上書獻賦，制誄鐫銘，皆以褒德序賢，明勳證理。苟非懲勸，義不徒然。降及後代，風教漸落。魏之三祖，更尚文詞，忽君人之大道，好雕蟲之小藝。下之從上，有同影響，競騁文華，遂成風俗。江左齊梁，其弊彌甚，貴賤賢愚，唯務吟詠。遂復遺理存異，尋虛逐微，競一韻之奇，爭一字之巧。……。故文筆日繁，其政日亂，良由棄大聖之軌模，構無用以爲用也。損本逐末，流徧華壤，遞相師祖，久而愈扇。及大隋受命，聖道聿興，屏黜輕浮，遏止華僞。自非懷經抱質，志道依仁，不得引預搢紳，參廁纓冕。開皇四年，普詔天下，公私文翰，並宜實錄。其年九月，泗州刺史司馬幼之文表華艷，付所司治罪。自是公卿大臣咸知正路，莫不鑽仰墳集，棄絕華綺，擇先王之令典，行大道於茲世。如聞外州遠縣，仍踵弊風，選吏舉人，未遵典則。至有宗黨稱孝，鄉曲歸仁，學必典謨，交不苟合，則擯落私門，不加收齒；其學不稽古，逐俗隨時，作輕薄之篇章，結朋黨而求譽，則選充吏職，舉送天朝。蓋由縣令、刺史未行風教，猶挾私情，不存公道。臣既忝憲司，職當糾察。若聞風即劾，恐挂網者多，請勒諸司，普加搜訪，有如此者，具狀送臺。（《隋書·李諤傳》卷六十六）

李諤此篇文字的主要觀點全在「文筆日繁，其政日亂，良由棄大聖之軌模，構無用以爲用也。」所謂「大聖之軌模」即指羲皇、舜、禹之典，伊、傅、周、孔之說，而這些典謨內涵所强調的正是上下、尊卑、君臣之間應嚴守的綱紀與倫常，而此種綱紀與倫常的思想，演變到後來，便以尊君爲最終極的人生目標。李諤所以會有「文筆日繁，其政日亂」的認定，即在於以爲文學作品若只重視形式之巧而忽略「大聖之軌模」，非但有傷教化，而且會損及君王的權威。此中緣由甚易理解，蓋因文學作品若任由臣民製作而不予規範，除了形式上有傷於纖巧，而違反了儒家一向强調爲文質樸的主張外，更惟恐於內容上出現直言無諱而有損君王形象的作品。李諤所以上書的原因，除了感於文人競騁文華之弊外，更重要的恐怕是洞悉隋文帝的心意。蓋李諤於上書中明白指出：「開皇四年，普詔天下，公私文翰，並宜實錄。其年九月，泗州刺史司馬幼之文表華艷，付所司治罪。」緣此可見，隋文帝以君權倡戒文采華艷於前，李諤上書云云，不過投君所好，欲使文學稽古之風普及於天下。隋文帝既然早已深知壓抑華艷文采，倡導文學稽古，大大有利於君權的提昇與帝位的鞏固，所以覽畢李諤所上之書，必有深獲我心之喜。因而《隋書‧李諤傳》記載：「上以諤前後所奏頒示天下，四海靡然向風，深革其弊。」（卷六十六）由此可見，維護君權至高無上的要求對文學復古風氣的提倡有莫大的影響。再看唐玄宗褒獎魏知古的手制：

卿所進〈獵渭濱〉十韻，三復研精，良增嘆美。夫詩者，志之所以寫其心懷，實可諷諭君主。是故揚雄陳〈羽獵〉，馬卿賦〈上林〉，爰自風雅，率由茲道。予頃向溫泉觀省風俗，時因暇景，掩渭而畋，方開一面之羅，式展三驅之禮。躬親校獵，聊以從禽。豈意卿有箴規，輔予不逮，自非款誠夙著，其孰能繼於此耶。今賜卿物五十段，用申勸奬。（大通書局印行《全唐文》卷二十）

唐玄宗所以褒奬魏知古，即因魏知古所進詩作，雖有諷諭，卻是爰自風雅之體，也就是承繼「主文而譎諫，言之者無罪，聞之者足以戒。」的委婉創作技巧。換言之，魏知古所作之詩，雖有箴規之意，卻仍以維護君權爲優先考慮，所以獲得唐玄宗獎賞。魏知古所上的〈從獵渭川獻詩〉全篇如下：

嘗聞夏太康，五弟訓禽荒。我后來冬狩，三驅盛禮張。順時鷹隼擊，講事武功揚。奔走未及去，翾飛豈暇翔。非熊從渭水，瑞翟想陳倉。此欲誠難縱，茲遊不可常。子雲陳羽獵，僖伯諫漁棠。得失鑒齊楚。仁思念禹湯。雍熙亮在宥，亭毒匪多傷。辛甲今爲吏，虞箴遂孔彰。（《全唐詩》卷九十一）

此詩雖以「此欲誠難縱，茲遊不可常」爲諷諭主旨，但是卻有多處充分顯示爲君諱，以及不忍直斥上非的委婉寫作技巧。譬如「非熊從渭水」是比喻唐玄宗和周文王一樣，爲了尋覓如同姜太公一般的賢人才出獵，「瑞翟想陳倉」則是說明玄宗欲如秦文公遊獵於陳倉一樣，尋得有吉祥之瑞的鷄鳴神。至於「辛甲今爲吏，虞箴遂孔彰」兩句，則以辛甲得知於周召公、文王，來比喻魏知古與唐玄宗君臣之間的關係。詩中雖帶有箴規之意，但是卻處處顯示出尊君的思想，無怪乎唐玄宗會有「三復研精，良增嘆美」的褒賞。帝王所以會對此種爰自風雅之體的文學復古作品大加嘆賞，當然與維護君權至高無上的要求大有關係。再看宋代李攸所撰《宋朝事實》中記載宋眞宗與王旦的對話：

上（眞宗）嘗謂王旦等曰：「經史之文，有國家之龜鑑，保邦治民之要，盡在是矣。然三代之後，典章文物制度聲名，參古今而適時用，莫若史、漢，學者不可不盡心焉。」旦曰：「孔子于周衰，歷聘諸國，退而删詩書，定禮樂，以五常之道，垂萬世法。後之王者，雖上聖，必師範之。古人云：生民以來，未有如夫子者，蓋以此也。如云志在春秋者，誠欲以褒貶筆削爲終古誅賞之法，使亂臣賊子覩而知懼，茲立教之深旨，爲國家之大要。……。」（卷三〈聖學〉）

宋眞宗以帝王之尊，提倡經史之文，謂學者不可不盡心，理由是其中有國家之龜鑑，保邦治民之要。王旦則進一步闡述孔子之所以偉大，乃因表現在《春秋》中的尊王思想，而此種尊王思想不僅爲孔子立教之深旨，亦爲國家之大要。換言之，經史之文中雖有保邦治民之要，但是眞正關係到國家大要的仍爲尊王思想。因此，宋眞宗欲學者究心於經史之文，終極目的仍在於希冀透過經史中尊王思想的散播，來達到維護君權至高無上的要求。宋眞宗有否此意？且看《宋史・馮元傳》中的記載便可明白：

眞宗試進士殿中，召元講易，元進說曰：「地天爲泰者，以天地之氣交也。君道至尊，臣道至卑，惟上下相與，則可以輔相天地，財成萬化。」帝悅，未幾，遷太子中允，直龍圖閣，詔預內朝，直龍圖閣預內朝自此始。（卷二九四）

馮元講易，雖言上下相與則可以輔相天地，但是前題須爲「君道至尊，臣道至卑」。這種言論和眞宗謂陳彭年之言「又君之難，由乎聽受；臣之不易在乎忠直。其君以寬大接下，臣以誠明奉上，君臣之心皆歸於正。」（《宋史、陳彭年傳》卷二八七）豈非如出一轍！無怪乎馮元自此宦途亨通，青雲直上。由此可見，宋眞宗欲學者深治經史之文，實與維護君權至高的要求有關。爲了提倡此種經史之文，宋眞宗甚至於大中祥符五年（西元一〇一二年）冬十月，作〈崇儒術論〉刻石於國學。這種風氣演變到宋仁宗天聖七年（西元一〇二九年），終於正式下詔戒文弊，前後不過十七年而已。然後我們也發現，宋初文學復古的主要提倡者諸如穆修、尹洙和石介，都是生於眞宗和仁宗兩朝的文人。他們的復古主張何以能不斷地衍化與擴展？舉石介〈上蔡副樞書〉中的言論爲例來說明：

兩儀，文之體也；三綱，文之象也；五常，文之質也；九疇，文之數也；道德，文之本也；禮樂，文之飾也；孝悌，文之美也；功業，文之容也；教化，文之明也；刑政，文之綱也；號令，文之聲也。（《石徂徠集》卷上）

這種强調文學的教化功能，並以三綱、五常爲文學主要內涵的復古理論，與宋眞宗欲學者究心於經史之文的用意正相符合。除此之外，文學內涵既然須以三綱、五常爲主，「君爲臣綱」當然成爲文學創作時的第一信守要務。換言之，宋初文學復古風氣的衍生與推展，仍是得利於先滿足君權至高無上的要求。

經由以上論述，已經可以確定中國文學復古風氣的形成，與西漢以後君權至高無上的要求有關。文學製作既要滿足君權至尊的要求，又不可損及君權，唯一的途徑便是回復儒家所强調的尊君思想，以及詩序所主張的溫柔敦厚、不忍直斥上非的寫作方式。文學的內涵及表現技巧既然如斯要求，自然便形成復古之風。

【附註】

①這種君益尊而臣益卑的現象，自兩漢以後，益加明顯。《漢書．賈誼傳》中已載有賈誼諫漢文帝之言，謂古代貴大臣有罪，帝王猶未斥然正以呼之，尙遷就爲之諱（詳見《漢書》卷四十八）。漢文帝雖深納賈誼之言，養臣下有節，大臣若有罪，皆自殺而不受刑。但是此種風尙，武帝以後便逐漸消失。《北史、周宣帝本紀》中載周宣帝自稱天元皇帝，而且「既自比上帝，不欲令人同己。常自帶綬及冠通天冠，加金附蟬，顧見侍臣武弁上有金蟬，及王公有綬者，並令去之。」（《北史》卷十）到了唐高宗以後，加尊號便成了皇帝的慣例，如唐高宗自稱天皇，武則天加號「金輪聖神皇帝」、「越古金輪聖神皇帝」、「慈氏越古金輪聖神皇帝」、「天冊金輪大聖皇帝」等。不過此時皇帝雖然極其位尊，宰相見天子議政，仍是命坐面議，到了宋太祖之時，連坐論之禮亦廢。（詳見《宋史．范質傳》卷二四九）。由此可見，君益尊而臣益卑在兩漢之後已成了一種常態發展。

②此中緣由，漢宣帝在回答當時仍爲太子的元帝「宜用儒生」的建議時，說得非常清楚：「漢家自有制度，本以霸王道雜之，奈何純任德教，用周政乎！且俗儒不達時宜，好是古非今，使人眩於名實，不知所守，何足委任。」（《漢書．元帝紀》卷九）由此可見，西漢所以崇儒，實是別有用心。至於餌以青紫，誘以祿利，不過是種籠絡手段而已。

③這種例子，在歷史上可說是俯拾即是。例如西漢的楊惲因詠「田彼南山，蕪穢不治，種一頃豆，落而爲萁。」語涉訕謗朝廷荒亂而爲宣帝所殺。詳見《漢書．楊惲傳》卷六十六）又宋哲宗時，蘇軾坐前掌制命語涉譏訕，落職知英州；張天說坐上書詆訕先朝處死（皆詳見《宋史．哲宗本紀》卷十八）。至於明、清兩朝因文字而罹禍者，更是不勝枚舉。

第二節　拔取人才與思想禁錮

自從陸賈告誡漢高祖劉邦謂：「以馬上得天下，安能以馬上治之！」（《史記・酈生陸賈列傳》）之後，如何拔取人才方能兼顧鞏固君權與治理天下，便成爲歷代君王的重大課題。然而人才的養成過程如果不予以規範節制，所培育的人才是否會對君王絕對效忠，便難以預料。因此，當董仲舒向漢武帝提出「《春秋》大一統者，天地之常經，古今之通義也。今師異道，人異論，百家殊方，指意不同，是以上無以持一統，法制數變，下不知所守。臣愚以爲諸不在六藝之科，孔子之術者，皆絕其道，勿使并進。邪僻之說滅息，然後統紀可一而法度可明。」（《漢書・董仲舒列傳》）的建議後，馬上爲漢武帝所採納，中國的文化史也正式進入獨尊儒術的局面。

董仲舒的建議所以迅即獲得漢武帝的採納並推行，最主要的原因在於「獨尊儒術」不僅可使帝王達到欲統一思想的目的，而且强調尊君的儒家思想更對君權的鞏固有利。於是漢武帝在獨尊儒術之時，也首立五經博士，以利祿爲餌，倡導經學。換言之，漢武帝已經認定，以代表儒家思想的經學來拔取人才，必可兼顧鞏固君權與治理天下。

漢武帝此種措施，影響後代極大。自此而後，欲求利祿者，無不須從熟讀五經始，爲文宗經的觀念也自此建立。由於爲文宗經自然會在臣民腦海中貫入尊君的觀念，歷代帝王亦無不樂於提倡。這種現象，與中國文學復古風氣的形成有著莫大的關係。

原來帝王爲了鞏固、提昇君權，以利祿來誘使歷代士子甘心皓首窮經、埋首故堆的拔取人才方式，實是一種變相的思想禁錮。蓋因帝王選用人才有限，士人欲從天下眾多英俊中脫穎而出，除了必須嫻熟五經及其他必考科目外，更須在修辭論理之際，變化新奇，希蒙考官青睞。然而在變化新奇之間，又不敢逾越考試科目的範圍內涵，文字自然便流於瑣碎、穿鑿與雕琢。士人心力長期專注於必考科目，積累日久，遂衍生只知有此，不知有彼之弊。即以西漢而言，此種弊病已是十分明顯，所以揚雄才會於《法言．寡見》中譏云：「古者之學耕且養，三年通一；今之學也，非獨爲之華藻也，又從而繡其鞶悅。」（卷五）這種對當時學者繁碎章條、浮華其辭的不滿，正是揚雄倡導宗經、徵聖復古主張的原由。

但是這種現象卻不禁令人懷疑其中必有玄機，因爲所謂宗經、徵聖的復古主張，實際上就是強調以孔子爲主的儒家思想的重要性。這種立論，在揚雄的《法言》中是隨處可見的，譬如〈寡見〉中云：

> 或問：五經有辯乎？曰：惟五經爲辯。說天者莫辯乎易，說事者莫辯乎書，說體者莫辯乎禮，說志者莫辯乎詩，說理者莫辯乎春秋。捨斯，辯亦小矣。（卷五）

又〈吾子〉中云：

> 舍舟航而濟乎瀆者，末矣；舍五經而濟乎道者，末矣。棄常珍而嗜乎異饌者，惡覩其識味也？委大聖而好乎諸子者，惡覩其識道也。

如此强調儒家思想和經典的權威性和重要性，目的卻在於欲挽回彼時士人爲求利祿而使儒家經典陷入支離破碎的危機，實在耐人尋味。因爲當某種學風開始出現繁瑣、穿鑿的流弊時，通常也意味著此種學風已經過了顛峯期，補偏救弊的方式應是針對其流弊來加以改良，而不是想盡辦法來恢復其原貌。譬如揚雄對於賦的態度，就是正確的。《法言・吾子》中說：「或曰：賦可以諷乎！諷則已；不已，吾恐不免於勸也。」漢賦的作者儘管抱有諷諫的意圖，但是由於在創作時「必推類而言，極靡麗之辭，閎侈鉅衍，競於使人不能加也。」（見《漢書・揚雄列傳》）所以觀覽者很容易爲其華麗誇張的修辭所迷，而忘卻作品結尾的諷諫之意。揚雄說「吾恐不免於勸也」，就是躭心漢賦的流弊會產生欲諷反勸的反效果。基於此因，揚雄乾脆提出「壯夫不爲」的結論。《法言・吾子》中云：「或問：吾子少而好賦？曰：然，童子雕蟲篆刻。俄而曰：壯夫不爲也。」針對漢賦的流弊缺失，揚雄可以斬釘截鐵地說「壯夫不爲」，何以在面對經學流弊之時，提出的補救辦法竟是宗經和徵聖？原來自武帝以利祿倡導經學至揚雄所處的時代（揚雄歷仕成、哀、平、莽四朝），正是經學盛行之時，帝王以經學選拔人才，士人靠經學博取利祿，已成一種制度。前已言及，代表儒家思想的經學所以被帝王選爲拔取人才的科目，主因在於帝王認定倡導經學可以兼顧君權的鞏固及培育治事的人才。經學既已和鞏固君權有關，縱然出現流弊，思欲改良者在批評之際更須十分謹慎，以免觸犯上諱。在此種困境中，揚雄想出一個兩全其美的辦法，既可免於抵觸君權，又可消解因爲追求利祿而破碎經義所造成的思想禁錮。他的辦法就是强調恢復經學原貌的重要性。

揚雄此種主張，在中國文學批評史上是極具意義的。因爲如此一來，經學本身變成絕對權威而無可置疑，所有流弊都因學者的誤解及學習方法偏差而起，只要給予明道、徵聖、宗經的再教育，一切的流弊將自然消失。這種主張由於沒有動搖到儒家內涵中有關尊君、重綱常的部分，所以在推行之時便十分順利。兩漢之後，中國文學復古風氣的形成原因與過程，有時即是上述模式的翻版。

兩漢以後，各朝代選拔人才的考試範圍雖然屢有變更，但是受制於考試科目範圍而衍生的思想禁錮，以及爲求主司青睞而務求文辭巧麗的弊病卻一直存在。且看《唐會要》卷七十五〈貢舉上・明經〉中的記載：

（高宗）永隆二年八月敕：如聞明經射策，不讀正經，抄撮義條，才有數卷。進士不尋史籍，唯誦文策。詮綜藝能，遂無優劣。自今已後，明經每經帖十得六已上者，進士試雜文兩首，識文律者，然後令試策。

這個建議，是當時的考功員外郎劉思立向唐高宗提出的。爲了應付考試，明經射策只是「抄撮義條」，進士只是「唯誦文策」，比兩漢的破碎、穿鑿經義更加嚴重，但是高宗此一詔令頒佈之後，效果顯然不大，所以唐玄宗又於開元廿五年二月，敕令：

今之明經、進士，則古之孝廉、秀才。近日以來，殊乖本意。進士以聲律爲學，多昧古今；明經以帖誦爲功，罕窮旨趣。安得爲敦本復古，經明行修？以此登科，非選士取賢之道。（《唐會要》卷七十五〈貢舉上・明經〉）

連帝王都覺察到此種因考試而衍生出的思想禁錮的危機，足見事態之嚴重。爲了讓天下士子知曉如何敦本復古，經明行修，所以便規定「其明經自今已後，每經宜帖十，取五已上，免舊試一帖，仍按問大義十條，取六已上，免試經策十條，答時務策三道，取粗有文理者，與及第。其進士宜停小經，准明經帖大經十帖，取通四已上，乃准例試雜文及策，考通與及第。」（《唐會要》卷七十五〈貢舉上・明經〉）這種增加經書考試分量的作法，雖然不能及時收效①，但是對於倡導文學教化，强調敦本復古者而言，則起了不少的鼓勵作用。譬如肅宗朝的劉嶢所上的〈取士先德行而後才藝疏〉中就直接謂：

> 國家以禮部爲孝秀之門，考文章于甲乙，故天下響應，驅馳于才氣，不務于德行。夫德行者可以化人成俗，才藝者可以約法立名，致有朝登甲科而夕陷刑辟，制法守度，使之然也。陛下焉得不改而張之？至如日誦萬言，何關理體？文成七步，未足化人。……。況古之作文，必諧風雅，今之末學，不近典謨，勞心于草木之間，極筆于烟雲之際，以此成俗，斯大謬也。昔之采詩，以觀風俗，咏〈卷耳〉則忠臣喜，誦〈蓼莪〉則孝子悲。溫良敦厚，詩教也，豈主于淫文哉！（《全唐文》卷四三三）

在這篇文字中，劉嶢已然指出，朝廷選拔人才以文辭定高下的作法，非但無補於教化，而且有鼓勵士子不務德行之嫌。所以劉嶢豎起詩教的大纛，提出文學復古的主張。從此之後，對於朝廷以詩賦取人，專重文辭衍生流弊的指責與修正建議，大多不出劉嶢的範圍。例如主張文學復古甚力的柳冕，在〈

與權侍郎〈權德輿〉書〉中亦批評：

> 進士以詩賦取人，不先理道；明經以墨義考試，不本儒意；選人以書判殿最，不尊人物。故吏道之理天下，天下奔競而無廉恥者，以教之者末也。閣下豈不謂然乎！（《全唐文》卷五二七）

將天下所以奔競而無廉恥之因，直接歸咎於朝廷拔取人才方法的失當。柳冕會極力倡導復古，强調「形似艷麗之文興，而雅頌比興之義廢。艷麗而工，君子恥之，此文之病也。」（《唐文粹》卷八十四〈答楊中丞論文書〉）多少都與此有關。再看白居易在〈議碑碣辭賦〉中所議：

> 且古之爲文者，上以紐王教，繫國風，下以存炯戒，通諷諭。故懲勸善惡之柄，執於文士褒貶之際焉；補察得失之端，操於詩人美刺之間焉。今褒貶之文無覈實，則懲勸之道缺矣；美刺之詩不稽政，則補察之義廢矣。雖雕章鏤句，將焉用之？……。伏惟陛下詔主文之司，諭養文之旨，俾辭賦合炯誡諷諭者，雖質雖野，採而獎之；碑誄有虛美愧辭者，雖華雖麗，禁而絕之。若然，則爲文者必當尚質抑淫，著誠去僞，小疵小弊，蕩然無遺矣。則何慮乎皇家之文章不與三代同風者歟！（《白氏長慶集》卷四十八〈策林〉六十八）

白居易即是洞察彼時碑碣辭賦等文體，由於朝廷獎多士以文學之故，所以流於雕章鏤句、淫辭麗藻而與先王文理化成之教相違，因而直接建議更改重視文辭的拔取人才方式，倡導存炯戒、通諷諭的文學復古風氣。

北宋文學復古風氣的倡行，也和科舉考試所衍生的流弊有關，例如孫復於〈寄范天章書〉中云：

竊嘗觀於今之士人，能盡知舜禹文武周公孔子之道者鮮矣，何哉？國家踵隋唐之制，專以辭賦取人，故天下之士，皆奔走致力於聲病對偶之間，探索聖賢之閫奧者，百無一二。（《孫明復小集》）

也將北宋初期的華靡雕琢文學風氣，歸咎於「國家踵隋唐之制，專以辭賦取人」的拔取人才方式。爲了改革此種流弊，使天下士人能復知舜禹文武周公孔子之道，孫復便提出文學宗經的主張，其〈寄范天章書〉中謂：「主上尊儒求治之心也至矣，然則虞夏商周之治，其不在於六經乎！舍六經而求虞夏商周之治，猶泳斷潢污瀆之中，望屬於海也，其可至矣哉！」（《孫明復小集》）換言之，孫復欲透過文學宗經的手段，以完成移風易俗的教化目標。再看范仲淹於仁宗天聖三年所獻的〈奏上時務書〉：

臣聞國之文章，應於風化，風化厚薄，見乎文章。是故觀虞夏之書，足以明帝王之道；覽南朝之文，足以知衰靡之化。故聖人之理天下也，文弊則救之以質，質弊則救之以文。質弊而不救，則晦而不彰，文弊而不救，則華而將落。前代之季，不能自救，以至于大亂，乃有來者，起而救之。故文章之薄，則爲君子之憂；風化其壞，則爲來者之資。惟聖帝明王，文質相救在乎己，不在乎人。易曰：「窮則變，變則通，通則久。」亦此之謂也。伏望聖慈與大臣議文章之道，師虞夏之風。況我聖朝千載而會，惜乎不追三代之高而尚六朝之細！然文章之列，何代無人！蓋時之所尚，何能獨變！大君有命，孰不風從！可敦諭詞臣，興復古道，更

延博雅之士，布於台閣，以救斯文之薄而厚其風化也，天下甚幸。（《范文正集》卷七）

在此篇時務書中，范仲淹更指出唐朝所以衰亡，乃因文章衰薄不能自救所致。唐季何以文章衰薄？除了氣運使然之外，主要還是受「進士以詩賦取人，不先理道，明經以墨義考試，不本儒意。」（柳冕〈與權侍郎書〉、《全唐文》卷五二七）的影響所產生的流弊。范仲淹即是希望朝廷以此爲鑑，重議文章之道，師範虞夏之風。所謂「敦諭詞臣，興復古道，更延博雅之士，布於台閣，以救斯文之薄而厚其風化。」就是建議宋仁宗改變原本專以辭賦取人的考試方式，而代之以獎勵文學復古。在此篇時務書上奏二年之後（天聖五年，西元一〇二七年），范仲淹又在〈上執政書〉提出同樣的建言：

今世材之間，患不稽古，委先王之典，宗叔世之文。詞多纖穢，士惟偷淺，言不及道，心無存誠。……。明經之士，全暗指歸，講義未嘗聞，威儀未嘗學②。……。儻使呈試之日，先策論以觀其大要，次詩賦以觀其全才，以大要定其去留，以全才定其等級。有講貫者，別加考試。人必強學，副其精舉，復當深思治本，漸隆古道。（《范文正集》卷八）

范仲淹在此篇〈上執政書〉中，對於科舉考試有一項重大的變革建議，就是先考策論以決定取捨，至於詩賦的成績只用來決定名次等級。此項建議後來也得到歐陽修的支持，歐陽修於〈論更改貢舉事件劄子〉中云：

今貢舉之失者，患在有司取人，先詩賦而後策論，使學者不根經術，不本道理，但能誦詩賦，節抄六帖、初學記之類者，便可剽盜偶儷，以應試格。而童年新學，全不曉事之人，往往幸

而中選，此舉子之弊也。……。今之可變者，知先詩賦爲舉子之弊，則當重策論。（《歐陽文忠公集》卷一〇四）

范仲淹與歐陽修的建議，後來在宋仁宗慶曆四年（西元一〇四四年）實施推行，對於文學復古風氣的倡導而言，可說意義重大。因爲策論的內容多以申論古今興衰治亂爲主，而以古體散文寫成。應考者如果不究經術，不本道理，便會遭到黜落。到了仁宗嘉祐二年（西元一〇五七年），歐陽修知貢舉，更對當時進士浮華奇僻的文風大加裁抑。馬端臨《文獻通考》〈選舉考〉仁宗嘉祐二年條下載云：

時進士益相習爲奇僻，鉤章棘句，寖失渾淳。歐陽修知貢舉，尤以爲患，痛裁抑之，仍嚴禁挾書者。既而試榜出，時所推譽，皆不在選。澆薄之士，候修晨朝，群聚詆斥之，街司邏卒不能止。至爲祭歐陽修文投其家，卒不能求其主名置於法。然自是文體亦少變。

由此可見，歐陽修的文學復古興革措施，對於當時流行的纖巧奇僻文風，有著一定的改革作用，北宋的文學復古運動也自此逐漸獲得成功。

經由以上論述，可以發現中國文學復古風氣的產生，部分原因是爲了糾正科舉考試的流弊。至於科舉所以會衍生思想禁錮和纖巧文風，實與帝王爲了鞏固、提昇君權而限定以儒學爲考試範圍，並誘之以利祿有關。由於考試範圍限定，士子不得自由發揮，爲了出奇制勝，求得考官青睞，士子只好穿鑿經傳、變化新奇，以便脫穎而出。如此一來，當然無有心思及餘暇去深究經術，以求聖人之理。譬如歐陽修就嘗於〈與荆南樂秀才書〉中坦承：

僕少孤貧，貪祿仕以養親，不暇就師窮經以學聖人之遺業而涉獵書史，姑隨世俗作所謂時文者，皆穿鑿經傳，移此儷彼，以爲浮薄，惟恐不悅于時人，非有卓然自立之言如古人者。……。夫時文雖曰浮巧，然其爲功亦不易也。僕天姿不好而彊爲之，故比時人之爲者尤不工，然已足以取祿仕而竊名譽者，順時故也。（《歐陽文忠公集》卷四十七）

所謂「惟恐不悅于時人」、「時文雖曰浮巧，然其爲功亦不易也。」云云，皆足以說明帝王以利祿爲餌所設的拔取人才制度，不僅足以消磨歷代士人的雄心壯志，而且還使他們視穿鑿經傳爲取得利祿和名譽的手段。影響所及，所謂經傳古書當然被束諸高閣而無人研讀③。不過天下士子皆埋首故堆，窮心力於修辭，固然方便於帝王的統治；但是一旦衍成浮薄風氣而有礙教化，卻也非爲帝王所樂見。於是在帝王直接或間接鼓勵下，便會出現宗經和徵聖的文學復古風氣，理由無他，因爲宗經和徵聖的文學思想有助於君權的鞏固。至此可以得到一個結論：中國文學復古風氣的形成，和帝王爲鞏固君權而假藉拔取人才所實施的思想統一政策可謂息息相關。

【附註】

① 譬如玄宗天寶初年，就有進士科考被允許以詩代帖經的情形。唐封演於《封氏聞見記》卷三〈貢舉〉中記載說：「文士多于經不精，至有白首舉場者，故進士以帖經爲大。天寶初，達奚珣、李嚴相次知貢舉，進士文名高而帖落者，時或試詩放過，謂之贖帖。」由此可見，唐玄宗雖然增加經書考試的分量，但是對進士不讀經書的改革並未完全奏效。

②孫復及范仲淹都同時提到，當時士人爲了應付考試，多委棄先王典籍不讀，因而形成自我思想禁錮，以致有淺薄不知古之病。這種批評，實非過當，例如洪邁在《容齋隨筆》卷三〈進士試題〉中記載：「國朝淳化三年，太宗試進士，出〈卮言日出賦〉題，孫何等不知所出，相率扣殿檻乞上指示之，上爲陳大義。景德（宋眞宗年號）二年，御試〈天道猶張弓賦〉，後禮部貢院言，近年進士惟鈔略古今文賦，懷挾入試，昨者御試以正經命題，多懵所出。」「卮言日出」語出《莊子》，「天道猶張弓」語出《老子》，皆非僻書，而當時應試士子，竟然不知所出，可見因科舉考試而產生的浮淺不知古之弊有多嚴重。

③這種情形，尤以在明清之時，最爲嚴重。明代文學所以由復古而擬古，部分原因即是欲挽救彼時士人因科舉而不讀古書之弊。請參見拙作〈明代文學何以走上復古之路〉一文，載於臺北學生書局出版之《古典文學》第十集。清代因科舉而產生的流弊，光緒年間的陶福履在所撰《常談》的自序中痛心地指出：「自科舉法行，士不復通經學古。……今之學者，殆又甚焉。經史、性理、掌故諸書悉不研究而惟攻時文。又舍棄先正，滅裂理法，取近科房行墨卷，承之庸之，以希弋獲。豈惟六經之旨，當世之務，毫不通曉，科舉功令條式所列，苟取以問其始末，亦瞠目不答而已。」鑑於此故，所以陶福履才「取科舉之學，懸爲令甲者，溯其原始，綴爲一編，釆魏書管輅傳，命曰《常談》。」這種情形，已和近代自由中國臺灣所實施的聯考制度所造成的弊病十分相似。

第三章 佛教思想的衝擊與反動

佛教於何時傳入中國，是個眾說紛云的問題①，比較可靠的記載，應是《後漢書、楚王英傳》中謂光武帝之子楚王劉英「誦黃老之微言，尚浮屠之仁祠。」既然說楚王英是「尚」浮屠之祠，可見佛教在東漢初期，流傳已有一段時期。不過此時的「浮屠」顯然只與「黃老」並提，尚未引起中國社會的重視。但是到了東漢末年以至六朝期間，由於戰亂頻仍，人命朝不保夕，打著「眾生平等」，以「西方極樂世界」來安慰、鼓勵人們捨離此身此世的佛教，遂開始迅速的傳播開來。隨著佛教的傳播，佛學中帶有神秘色彩的精緻談辯思想，迅即在瀰漫玄學風氣的士林中興盛起來。嚴北溟於《中國佛教哲學簡史》書中說明此一現象謂：

東晉偏安江左，士大夫放蕩頹廢，生活愈腐化，愈自鳴清高，相率屏棄世務，清談終日，實際上是以不問政治來參加政治，為門閥士族利益服務，這就使佛教的「出世」思想浸淫瀰漫，影響日深，不僅在學術思想界有了立足點，而且連整個玄學陣地也最終佔領了。（頁三十四，此書為台北木鐸出版社七十六年三月初版。）

從此之後，佛學在中國學術思想中，逐漸取得與傳統儒學相抗衡的地位。這種演變，不僅使中國社會內部產生變化，也使儒學的正宗地位遭到衝擊。中國文學中的尊道復古風氣，即有因佛教思想的衝擊而形成，以下便略分二節來予以闡述。

第一節　對佛教不尊君父、摒棄綱常的指斥

佛教思想主要環繞在「空」的論證上，亦即透過論定主觀與客觀世界的絕對虛妄性，來另造一個永恆寂靜，沒有煩惱痛苦的「涅槃」境界。主觀與客觀世界的存在既然只是一種假象，出現於其中的七情六欲自然也是虛妄而必須予以斷絕。如此論理，很容易便走上毀棄維繫傳統中國社會的倫理綱常之路，而與儒學內涵相抵觸。尤其在魏晉之時，與玄學相合流之後，佛教思想的聲勢更加浩大。反觀此時的儒學，由於承襲漢儒長期以來煩瑣經學之弊，再加上東漢以後衍爲圖讖災異之學，所以漸失主導與維繫社會的地位。在這種情況之下，代表儒學思想的倫理綱常，便受到嚴重的挑戰。譬如東晉名僧慧遠所撰的〈沙門不敬王者論〉，便是最著名的例子，其〈出家〉文中云：

> 故凡在出家，皆遯世以求其志，變俗以達其道。變俗則服章不得與世典同禮，遯世則宜高尚其跡。夫然者，故能拯溺俗於沈流，拔幽根於重劫，遠通三乘之津，廣開天人之路。如令一夫全德，則道洽六親，澤流天下，雖不處王侯之位，亦已協契皇極，在宥生民矣。是故內乖天

屬之重而不違其孝，外闕奉主之恭而不失其敬。（梁僧祐編《弘明集》卷五）

換言之，佛教徒所以「內乖天屬之重」和「外闕奉主之恭」，主要就是欲透過不與世俗同禮的非常手段，來達到「變俗以達其道」的目標。但是此種崇高之理想由於類似詭辯，雖能於談論之間服人之口，並未眞能服人之心。何況此種言論，實與深入中國社會民心的「夫孝始於事親，中於事君，終於立身。」（《孝經、開宗明義章》）思想格格不入②。然而時值魏晉談玄風氣昌盛之際，文士於清談論難之間，尤其務在折人。佛學與玄學合流之後，論辯言語更是機變百出，玄妙無比，一時亦無人可擋其鋒。入唐之後，佛教徒此種假藉欲變俗以達其道的不尊君父、屏棄綱常的行爲，終於遭到明令禁止。先是唐高宗於顯慶二年（西元六五七年）二月頒〈僧尼不得受父母拜詔〉云：

釋典沖虛，有無兼謝；正覺凝寂，彼我俱亡。豈自尊崇，然後爲法？聖人心主於慈孝，父子君臣之際，長幼仁義之序，與夫周孔之教，異軫同歸。棄禮悖德，朕所不取。僧尼之徒，自云離欲，先自貴高。父母之親，人倫已極，整容端坐，受其禮拜，自餘尊屬，莫不皆然。有傷名教，實斁彝典。自今已後，僧尼不得受父母及尊者禮拜，所司明爲法制，即宜禁斷。（《唐大詔令集》卷一一三）

僧尼非但不尊拜父母，而且還「整容端坐，受其禮拜」，此種習俗竟然演變到須由皇帝下詔明令禁止，可見流行之普遍。爲了改變此種風氣，至玄宗開元二年閏二月，更下〈令僧尼道士女冠拜父母勅〉云：

> 夫孝者天之經，地之義，人之行。故自天子下至庶人，資於敬愛以事父母，所謂冠五帝之表，稱百行之先。如或不由，其何以訓？如聞道士、女冠、僧尼等有不拜父母之禮，朕用思之，茫然罔識。且道釋之教，蓋懲惡而勸善，父子之儀，豈緣情而易制，安有同人代而離怙恃哉！哀哀父母，生我勞瘁。故六親有不和之戒，十號有報恩之旨，此又窮源本而啓宗極也。……
> ……。自今已後，道士、女冠、僧尼等，並令拜父母，喪紀變除，亦依月數，庶能正此頹弊，用明典則。（《唐大詔令集》卷一一三）

唐高宗及玄宗所下的詔令，主要目的在於糾正彼時佛教徒不尊君父、屏棄綱常的不當行爲。此種對於佛教徒的指斥，由於有帝王倡之在前，所以後來也成爲文學復古運動者的一大口實。譬如韓愈在〈論佛骨表〉中即謂：「夫佛本夷狄之人，與中國言語不通，衣服殊製。口不言先王之法言，身不服先王之法服，不知君臣之義，父子之情。」（《全唐文》卷五四八）此種對於佛教的指斥，雖然過於浮淺③，但是影響卻甚爲深遠。因爲韓愈很巧妙的避開與佛教徒作學理的爭辯而直接謂其與傳統中國文化不合，而且所冠予的罪名「不知君臣之義，父子之情」，足令佛教徒百口難辯。佛教一旦背負不尊君父，屏棄綱常的罪名，自有維護傳統者起而與韓愈聯手倡言復古，譬如張籍在〈與韓愈書〉中謂：

> 及漢衰末，西域浮屠之法入于中國，中國之人世世譯而廣之，黃老之術，相沿而熾，天下之言善者，惟二者而已矣。昔者聖人以天下生生之道曠，乃物其金木水火土穀藥之用以厚之，因人資善，乃明乎仁義之德以教之，俾人有常，故治生相存而不殊。今天下資於生者咸備聖人

之器用，至於人情則溺乎異學而不由乎聖人之道，使君臣、父子、夫婦、朋友之義沈於世，而邦家繼亂，固仁人之所痛也。自揚子雲作《法言》至今近千載，莫有言聖人之道者，言之者惟執事焉耳。……。願執事絕博塞之好，棄無實之讀，弘廣以接天下之士，嗣孟軻、揚雄之作，辯楊墨老釋之說，使聖人之道復見於唐，豈不尚哉！（《張司業集》卷八）

張籍在這封書信中，甚至將社會人心溺於佛學，以致不遵行古聖先賢之道而使綱常沈淪毀棄的現象，視爲國家動亂的根源。因此，張籍以爲當務之急，應是「嗣孟軻、揚雄之作，辨楊墨老釋之說，使聖人之道復見於唐。」在這種支持與鼓勵下，原本對闢佛存有顧忌的韓愈④，遂奮袂而起。提出〈原道〉的復古理論。在〈原道〉一文中，韓愈清楚地指出，所原之道乃是「堯以是傳之舜，舜以是傳之禹，禹以是傳之湯，湯以是傳之文武周公，文武周公傳之孔子，孔子傳之孟軻，軻之死，不得其傳焉。」（《全唐文》卷五五八，以下所引皆同。）至於此道的內涵則爲「博愛之謂仁，仁而宜之之謂義，由是而之焉之謂道。」表現在文學上的最高典範，則是「其文詩、書、易、春秋」。韓愈何以會提出此種原道的復古理論？原因在於畏懼佛教思想倡行而立於先王之教之上，致使中國社會產生「必棄而君臣，去而父子，禁而相生養之道，以求其所謂清靜寂滅者。」的危機。既然所原之道爲堯舜禹湯文武周公孔孟之道，所追求的文學最高典範爲詩、書、易、春秋，自然便會形成「非三代兩漢之書不敢觀，非聖人之志不敢存。」（〈答李翊書〉、《全唐文》卷五五二）的文學復古主張。由上可知，韓愈所以會有文學復古的理論主張，是希望透過詩、書、易、春秋等經典中所記載先王之教的推廣，來消解彼時佛教思想不尊君父、屏棄綱常的不當影響。關於這點，宋朝歐陽修的看法也與韓愈十分近似。

歐陽修嘗於〈本論〉下文中指斥「彼爲佛者，棄其父子，絕其夫婦，於人之性甚戾。」（《歐陽文忠公集》卷十七，以下所引皆同。）佛教思想既然違反中國的民情，何以能在中國廣爲流傳？歐陽修於〈本論〉上文中檢討此一現象說：

> 堯舜三代之際，王政修明，禮義之教充於天下。於此之時，雖有佛，無由而入。及三代衰，王政闕，禮義廢，後二百年而佛至乎中國。由是言之，佛所以爲吾患者，乘其闕廢之時而來，此其受患之本也。補其闕，修其廢，使王政明而禮義充，則雖有佛無所施於吾民矣。

歐陽修以爲，佛教思想所以挾「棄其父子，絕其夫婦」之弊而仍能爲患中國，乃因中國社會本身「王政闕、禮義廢」所致。因此，救補之法就是儘快「使王政明而禮義充」。但是要如何才能「使王政明而禮義充」？歐陽修主張「今堯舜三代之政，其說尚傳，其具皆在，誠能講而修之，行之以勤而浸之以漸，使民皆樂而趣焉，則充行乎天下而佛無所施矣。」所謂「堯舜三代之政，其說尚傳，其具皆在」，指的當然是詩、書、禮、易、春秋等經典。如此主張，顯然欲以復古來消解佛教思想「棄其父子，絕其夫婦」的弊端。基於此種理念，歐陽修對於當時有僧徒欲學詩作文者的勸戒，亦著重在儒學本源的探求，而非僅是裁剪古人之餘，其〈酬學詩僧惟晤〉詩云：

> 詩三百五篇，作者非一人。羇臣與棄妾，桑濮乃淫奔。其言苟可取，龐雜不全純。子雖爲佛徒

，未易廢其言，其言在合理，但懼學不臻。子佛與吾儒，異轍難同輪，子何獨吾慕，自忘夷其身。苟能知所歸，固有路自新，誘進或可至，拒之誠不仁。維詩於文章，太山一浮塵；又如古衣裳，組織爛成文。拾其裁剪餘，未識袞服尊。嗟子學雖勞，徒自苦骸筋。勤勤袖卷軸，一歲三及門。惟求一言榮，歸以耀其倫。與夫榮其膚，不若啓其源。韓子亦嘗謂，收斂加冠巾。（《歐陽文忠公集》卷四）

此詩重點在於勸戒僧人惟晤，佛、儒原本不同道，與其羨慕歐陽修的文名，不如從頭改變自己，所謂「苟能知所歸，固有路自新。」意即若能棄佛就儒，必能有所收穫。至於作詩修辭一事，不過若太山中之一浮塵而已，若只知拾取古人之餘唾而不識其本源所在（指儒家思想之本源），詩文作的再好，也不過「榮其膚」而已。再看張方平對佛徒的批評，其〈原蠹〉文中云：

黃老之說，出於秦漢，晚乃更有浮屠氏至焉。……歷唐至今，浸淫瀰漫，橫潰不遏，先王之道，不絕如線；九疇五教，天人之法，置而勿論。凡厥庶民，捨君父之尊而事其土木之象，略忠孝之道而誦其謬悠之言，簡律令之法而循其戒咒之說，忽賞刑之命而果其禍福之報，割衣服之用而奉其莊嚴之費，侵貧人之業而資其游惰之徒。……是以其徒益張，明無日星，幽無鬼神，前無羲皇，後無周孔，以誣惑蠹食於此黔首也。（《樂全集》卷十五）

此文重點，仍在指斥佛徒捨君父之尊與略忠孝之道所衍生的弊害。張方平曾於宋仁宗慶歷六年（西元一〇四二年）二月知貢舉時，於〈貢院請誡勵天下舉人文章〉中謂：「臣聞文章之變，蓋與政通；風俗所形，斯爲教本，國體攸繫，理道存焉。」（《樂全集》卷二十）既然強調「風俗所形，斯爲教本。」必會對佛教思想衍生的不尊君父、毀棄綱常提出糾正，而糾正之法，當然是恢復先王之道與九疇五教的內涵，如此一來，自然便趨向復古之途。又如孫復於〈儒辱〉篇中說明此文所以作之因云：

> 儒者之辱，始於戰國，楊朱、墨翟亂之於前，申不害、韓非雜之於後。漢魏而下，則又甚焉。佛老之徒，橫乎中國，彼以死生禍福，虛無報應爲事，千萬其端，給我生民。絕滅仁義，以塞天下之耳；屏棄禮樂，以塗天下之目。天下之人，愚眾賢寡，懼其死生禍福報應人之若彼也，莫不爭舉而競趨之。觀其相與爲群，紛紛擾擾，周乎天下，於是其教與儒齊驅並駕，峙而爲三，吁可怪也⑤。且夫君臣、父子、夫婦、人倫之大端也，彼則去君臣之禮，絕父子之戚，滅夫婦之義，以之爲國則亂矣，以之使人，賊作矣！儒者不以仁義禮樂爲心則已，若以爲心，則得不鳴鼓而攻之乎！（《孫明復小集》）

此文措辭之烈，不遜於韓愈的〈論佛骨表〉。孫復既然以爲佛教的不尊君父、屏棄綱常思想乃儒者之辱，當然會大力倡導以儒家思想爲主的復古理論。所以他在〈答張洞書〉中認爲「自西漢至李唐，其間鴻生碩儒，摩肩而起，以文章垂世者眾矣，然多佛老虛無報應之事；沈謝徐庾，妖艷邪哆之言，雜乎其中。至有盈編滿集，發而視之，無一言及於教化者。此非無用瞽言，徒污簡冊者乎！至於始終仁義，不叛不雜者，惟董仲舒、揚雄、王通、韓愈而已。」（《孫明復小集》卷二）由於董仲舒、揚雄、王通、韓愈四人始終未曾叛離六經之道，而入於佛老虛無報應之事，所以被孫復提爲典範。要如何才能學習到董仲舒等人的境界？孫復以爲「但當左右名教，夾輔聖人而已。或則列聖人之微旨，或則擿諸子之異端，或則發千古之未寤，或則正一時之所失，或則陳仁政之大經，或則斥功利之末術，或則揚聖人之聲烈，或則寫下民之憤歎，或則陳大人之去就，或則述國家之安危。必皆臨事摭實，有感而作，爲論、爲議、爲書疏、歌詩、贊頌、箴辭、銘說之類，雖其目甚多，同歸於道，皆謂之文也。」（〈答張洞書〉）這種主張，已是十分完整的文學復古理論，而此種理論所以提出，部分原因即是爲了糾正佛教思想衍生的不尊君父，屏棄綱常的弊害。

經由以上論述，可以發現中國文學中的復古風氣所以形成，重要原因之一是爲了抵制消解佛教思想所衍生的不尊君父、屏棄綱常的不良風俗。爲了達到此一目的，對於佛名而儒行的僧徒，通常也給予肯定的評價，譬如唐代的皇甫湜在〈送簡師序〉中云：「師雖佛名而儒其行，雖夷狄其衣服而仁義其心，雖未齒於士，與麟鳳類矣，不猶愈于冠朝冠，服朝服，惑溺于淫怪之說，以斁彝倫者耶！」（《皇甫持正集》卷二）宋朝的穆修於〈送定師南遊〉詩中云：「營營學佛徒，皆喜訾吾道，憐師獨異群，儒藝知探討。」（《穆參軍集》卷上）由此可見，倡導文學復古者的用心良苦了。

【附註】

① 有關此一問題，陳登原於《國史舊聞》第二〇八則〈佛教來華考〉文中有詳盡的考證，可以參看。陳氏此書，有台北明文書局出版。

② 相傳爲東漢牟融所撰的《理惑論》曾就此點替沙門辯護說：「苟有大德，不拘於小。沙門捐家財，棄妻子，不聽音，不視色，可謂讓之先也，何違聖語不合孝乎！」（《弘明集》卷一所錄）這種論辯方式儘管能自圓其說，亦實與重人倫、講綱常、積極入世的儒家思想頗有距離。

③ 譬如與韓愈同時的柳宗元就曾於〈送僧浩初序〉一文中批評說：「退之所罪者其迹也。………。退之忿其外而遺其中，是知石而不知韞玉也。」（《全唐文》卷五七九）由於韓愈給佛教徒所冠的罪名甚大，當時的佛教徒對韓愈啣恨亦最深，皇甫湜於〈送簡師序〉中謂：「刑部侍郎昌黎韓愈既貶于潮，浮屠之徒，讙快以抃。」（《皇甫持正集》卷二）所言當是實情。

④ 例如韓愈在〈重答張籍書〉中云：「今夫二氏（指佛老）之所宗而事之者，下及公卿輔相，吾豈敢昌言排之哉！擇其可語者誨之，猶時與吾悖，其聲嘵嘵。若遂成其書，則見而怒之者必多矣，必且以我爲狂爲惑，其身之不能恤，書於吾何有？………。今夫二氏行乎中土也，蓋六百年有餘矣，其植根固，其流波漫，非所以朝令而夕禁也。」（《全唐文》卷五五一）由此可見，韓愈原本對闢佛一事是心存顧忌的。

⑤ 自韓愈起，攻擊佛教的儒者往往將之與黃老並提，這是有原因的，嚴北溟於《中國佛教哲學簡史》頁三十三中云：「東漢初期的黃老之術已和西漢時期的黃老之學有所不同，因爲後者猶近於道家老子的思想，而前者已爲一切方士道術的總代表，有濃厚的宗教迷信色彩，所以黃老、浮屠同舉，實即說明佛教進入中土時依附社會舊有的方士道術等宗教迷信，爲佛教在社會上的廣泛傳播舖平道路。」由此可見，佛教爲了迅速達到在中國傳播的目的而依附黃老之術。西晉以後，佛學更與崇尚老莊的玄學合流而日益受到社會的重視，因此，攻擊佛教的儒者往往將之與黃老並提。

第二節 修正佛教有傷教化風俗的流弊

佛教的原始教義本在於强調苦行實踐，因此對於現世中的「愛」、「取」、「有」等欲念都主張禁斷。然而由此衍生的「萬法皆空」論，作爲一種精緻的哲學思想體系雖然有其獨特性，但是要眞正躬體力行卻並非易事。所以東漢牟融於《理惑論》中反駁時人「沙門耽好酒漿，或蓄妻子，取賤賣貴，專行詐紿。」的批評時，也只能以「當患人不能行，豈可謂佛道有惡？」（《弘明集》卷一）來辯護。但是原本以强調苦行實踐的佛教，竟然須用「患人不能行」來應付外界的指摘，實在有些諷刺。入晉之後，佛教徒未能苦行實踐反而落人口實的情況日益增多，所以當時已有不滿之辭：

> 且世有五橫而沙門處其一焉！何以明之？乃大設方便，鼓動愚俗，一則誘喻，一則迫脅。云行惡必有累劫之殃，修善便有無窮之慶；論罪則有幽冥之伺，語福則有神明之祐；敦厲引導，勸行人所不能行；逼強切勒，勉爲人所不能爲。上減父母之養，下損妻孥之分；會同盡餚膳之甘，寺廟極壯麗之美。割生民之珍玩，崇無用之虛費；罄私家之年儲，闕軍國之資實。張空聲於將來，圖無象於未兆；聽其言則洋洋而盈耳，觀其容則落落而滿目。考現事以求徵，並未見其驗，眞所謂擊影捕風，莫知端緒。（晉釋道恒〈釋駁論〉中所錄，《弘明集》卷六）

面對此種指責，釋道恒雖於〈釋駁論〉中辯護云：「會盡餚膳，寺極壯麗，此修福之家，傾竭以儲將來之資，殫盡自爲身之大計耳。殆非神明歆其壯麗，衆僧貪其滋味。」然而「會盡餚膳，寺極壯麗」

既爲屬實，已與苦行實踐之佛教宗旨不合；更何況所謂「此修福之家，傾竭以儲將來之資」云云，又與「衆生平等」教義大相違背。因爲此種推論如果合理，今世之富人由於多修福之資，將生生世世永爲富人。當時佛寺窮極壯麗的情形，南北可謂不分軒輊。《南史》卷七十〈循吏、郭祖深傳〉中載：「都下佛寺五百餘所，窮極宏麗，僧尼十餘萬，資產豐沃。」不過有關佛寺窮極宏麗的詳盡記載，首推後魏楊衒之所撰的《洛陽伽藍記》，其書中卷一形容後魏孝明帝熙平元年（西元五一六年）靈太后所立之永寧寺內外觀景云：

> 中有九層浮屠一所，架木爲之，舉高九十丈，有剎復高十丈，合去地一千尺，去京師百里已遙見之。初掘基，至黃泉下，得金像三十（十一作千）軀，太后以爲信法之徵，是以營建過度也。剎上有金寶瓶，容廿五石；寶瓶下有承露金盤三十重，周匝皆垂金鐸，復有鐵鏁四道，引剎向浮屠四角。鏁上亦有金鐸，鐸大小如一石甕子。浮圖有九級，角角皆懸金鐸，合上、下有一百二十鐸。浮圖有四面，面有三戶六窗，戶皆朱漆；扉上有五行金釘，合有五千四百枚，復有金環鋪首。殫土木之功，窮造形之巧；佛事精妙，不可思議；繡柱金鋪，駭人心目。

此種建築之精巧奢麗，實已逾越王侯之家，比擬天子之居，而與佛教所持的「不淨物」、「不淨業」戒規大不相合①。楊衒之即因對於此種「寺宇壯麗，捐費金碧；王公相競，侵漁百姓。」（唐、釋道宣所著〈敘列代王臣滯解〉文中所錄，《廣弘明集》卷六）的風氣不滿，乃撰成《洛陽伽藍記》一書以記當時佛徒之不恤眾庶。此種不恤眾庶之風一旦形成，自然會犯上「愛」、「取」、「有」等欲念而衍生傷風敗俗的流弊。譬如唐高祖武德九年（西元六二六年）夏五月辛巳，就曾以京師寺觀不甚清淨爲由，下詔欲罷寺觀云：

> 釋迦闡教，清淨爲先，遠離塵垢，斷除貪慾。…………末代陵遲，漸以虧濫。乃有猥賤之侶，規自尊高；浮惰之人，苟避徭役，妄爲剃度，託號出家，嗜慾無厭，營求不息。出入閭里，周旋闤闠，驅策田產，聚積貨物，耕織爲生，估販成業，事同編戶，迹等齊人。進違戒律之文，退無禮典之訓。…………。又伽藍之地，本曰淨居，棲心之所，理尙幽寂。近代以來，多立寺舍，不求閑曠之境，唯趨喧雜之方。繕采崎嶇，棟宇殊拓，錯舛隱匿，誘訥姦邪。（《舊唐書》卷一〈高祖本紀〉）

基於上述理由，所以唐高祖下令「京城留寺三所，觀二所，其餘天下諸州各留一所，餘悉罷之。」這件事後來雖然沒有認眞執行，但是細觀唐高祖詔書中對沙門責備的內容，仍然不離晉僧釋道恒〈釋駁論〉中所錄時人對僧徒批評的範圍。由此可見，佛教徒違反戒律所衍生的傷風敗俗情況，自晉至唐，不僅無有改善，而且日趨嚴重。到了武則天時，爲了纂奪唐室帝位，更以佞佛爲手段來達到目的。由於有政治力的庇護，當時佛教徒違反清規而有傷教化風俗的情形，已經嚴重到侵蝕社會國家根本的地步，所以當時的狄仁傑曾向武則天上疏諫云：

> 臣聞爲政之本，必先人事。…………。今之伽藍，制過宮闕，窮奢極壯，畫繢盡工。寶珠殫於

綴飾，瓌材竭於輪奐。工不使鬼，止在役人；物不天來，終須地出；不損百姓，將何以求。生之有時，用之無度；編户所奉，常若不允；痛切肌膚，不辭箠楚。游僧一說，矯陳禍福，剪髮解衣，仍慚其少。亦有離間骨肉，事均路人；身自納妻，謂無彼我；皆託佛法，詿誤生人。里陌動有經坊，闤闠亦立精舍。化誘俗急，切於官徵；法事所須，嚴於制敕。膏腴美業，倍取其多；水碾莊園，數亦非少。逃丁避罪，併集法門；無名之僧，凡有幾萬；都下檢括，已得數千。且一夫不耕，猶受其弊，浮食者衆，又劫人財。臣每思惟，實所悲痛。（《舊唐書》卷八十九〈狄仁傑本傳〉）

佛寺制過宮闕，是不守禮制；損及百姓生計，是不恤衆庶；矯陳禍福，貪取財貨，是破壞敎化；離間骨肉，身自納妻而託言佛法，是有傷風俗；再加上逃丁避罪於其間，破壞國家體制。佛敎流弊一至如此，有識之士自然會興起改革的念頭。譬如首開唐代文學復古運動先聲的陳子昂，就曾於有名的〈感遇〉卅八首之十九中云：「聖人不利己，憂濟在元元。黃屋非堯意，瑤台安可論。吾聞西方化，清淨道彌敦。奈何窮金玉，雕刻以爲尊。雲構山林盡，瑤圖珠翠煩。鬼功尙未可，人力安能存。夸愚適增累，矜智道愈昏。」（《陳拾遺集》卷一）此詩主旨在於諷刺佛徒未能緊守清淨之道，反而窮搜金玉，以雕刻爲尊。換言之，即對佛敎的奢華流弊表示不滿。陳子昂的〈感遇〉諸作，盧藏用曾於〈右拾遺陳子昂文集序〉中讚譽謂：「至於感激頓挫，微顯闡幽，庶幾見變化之朕，以接乎天人之際者，則感遇之篇存焉。」（《全唐文》卷二三八）而這些讚美之辭，又多築基於陳子昂文章中的「諫諍之辭，則爲政之先也；昭夷之碣，則議論之當也；國殤之文，則大雅之怨也；徐君之議，則刑禮之中也。」（〈右拾遺陳子昂文集序〉）的文學教化理論功能中。由此推論，陳子昂的倡導文學復古，主張文學教化功能，多少與反對佛教有傷教化風俗的流弊有關。至於韓愈的〈論佛骨表〉文中，更直指佛教爲傷風敗俗，必須加以禁遏，其言謂：

> 高祖始受隋禪，則議除之。（案：指高祖武德九年所下詔，詳見前文所引。）當時群臣材識不遠，不能深知先王之道，古今之宜，推闡聖明，以救斯弊，其事遂止，臣常恨焉。………。今聞陛下令群僧迎佛骨於鳳翔，御樓以觀，舁入大內，又令諸寺遞迎供養。臣雖至愚，必知陛下不惑於佛，作此崇奉，以祈福祥也。………。然百姓愚冥，易惑難曉。苟見陛下如此，將謂眞心事佛，皆云：天子大聖，猶一心敬信，百姓何人，豈合更惜身命！焚頂燒指，百十爲群，解衣散錢，自朝至暮，轉相倣效。惟恐後時，老少奔波，棄其業次。若不即加禁遏，更歷諸寺，必有斷臂臠身，以爲供養者。傷風敗俗，傳笑四方，非細事也。（《全唐文》卷五四八）

韓愈既以唐高祖時群臣不能深知先王之道以救崇佛之弊爲恨，面對所謂「傷風敗俗，傳笑四方」的崇佛流弊，自然便以倡導「先王之道，古今之宜，推闡聖明，以救斯弊。」觀念如此，文學創作自然便傾向復古之途。再看李翺對於佛教有傷教化風俗流弊的指斥，其〈再請停率修寺觀錢狀〉文中云：「自仲尼既歿，異學塞途，孟子辭而闢之，然後廓如也。佛法害人，甚於楊墨，論心術雖不異於中土，考教迹，實有蠹於生靈。浸溺人情，莫此之甚。爲人上者，所宜抑焉。」（《全唐文》卷六三四）至於李翺所謂的佛法「蠹於生靈」、「浸溺人情」所指爲何？其〈去佛齋論〉文中云：

故其徒也，不蠶而衣裳具，引耨而飲食充。安居不作，役物以養己者，至於幾千百萬人，推是而凍餒者幾何人可知矣。於是築樓殿宮閣以事之，飾土木銅鐵以形之，髡良人男女以居之，雖璇室象廊，傾宮鹿臺，章華阿房，弗加也。是豈不出乎百姓之財力歟！（《全唐文》卷六三六）

原來李翺謂佛法的「蠹於生靈」、「浸溺人情」，所指仍爲佛教徒不恤眾庶、窮奢民財所產生的有傷教化風俗之弊。緣於此因，李翺便認爲佛法非聖人之道而須排去。而所指聖人之道，即爲堯舜文武孔子之道。李翺在〈答侯高第二書〉中云：「吾之道非一家之道，是古聖人所由之道也。吾之道塞，則君子之道消矣；吾之道明，則堯舜文武孔子之道未絕於地矣！」（《全唐文》卷六三五）由此可見，李翺是以使「堯舜文武孔子之道未絕於地」爲己任，佛法由於有傷風敗俗之弊而可能阻塞堯舜文武孔子之道，所以必須予以革除。在此種理念支持下，很容易便趨向文學復古之路。

北宋初年的王禹偁，除了同意並推薦韓愈的〈論佛骨表〉之外②，也對佛教的有傷教化頗有微言，其〈酬處才上人〉詩中云：

我聞三代淳且質，華人熙熙誰信佛。茹蔬剃度在西戎，佛法不敢干華風。周家子孫何不肖，奢浮昏亂隳王道。秦皇漢武又雜霸，只以威刑取天下。蒼生哀苦不自知，願甚深願慈航慈。無端更作金人夢，萬里迎來萬民重。爲君爲相猶皈依，蚩蚩輩俗誰敢非。若教都似周公時，生

民豈肯須披緇。可憐嗷嗷避征役，半入金田不耕織。（《小畜集》卷十二）

不過細觀此詩內容，王禹偁是把佛教之所以影響並損及中國社會教化風俗的原因，直接歸咎於三代之道的失傳。換言之，三代既淳且質的教化如能恢復，則佛教的影響力自會消失，也就不會損及中國社會的教化與風俗。基於此一立論，王禹偁便大力鼓吹須熟讀「二帝三王之世之文」，並且斷言「今爲文而捨六經，又何法焉！」（〈答張扶書〉、《小畜集》卷十八）爲文宗經的文學復古風氣於焉萌生。再看范仲淹對於佛教有傷教化風俗流弊的指責，其〈四民詩〉之三〈工〉詩中云：「可甚佛老徒，不取慈儉書。竭我百家產，崇爾一室居。四海競如此，金碧照萬里。」（《范文正集》卷一）緣於此因，范仲淹更於〈上執政書〉中提出改善的辦法：

夫釋道之書，以眞常爲性，以潔淨爲宗，神而明之，存乎其人，智者尚難於言，而況於民乎！君子弗論者，非今理天下之道也。其徒繁穢，不可不約。今後天下童行，可於本貫陳牒，必結其鄉黨，苟有罪戾，或父母鮮人供養者，勿從其請。如已受度，而父母在，別無子孫，勿許方遊，則民之父母鮮轉死於溝壑矣，斯亦養惸獨、助孝悌之風也。其京師寺觀，多招四方之人，宜給本貫，憑由乃許收錄，斯亦辨姦細、復游散之要也。其天下寺觀，每建殿塔，蠹民之費，動踰數萬，止可完舊，不許創新，斯亦與民阜則之端也。（《范文正公集》卷八）

由此可見，佛教的敗壞風俗流弊，已經到了須由政策上來謀求對策的地步。但是此種經由政治的强制變革措施，畢竟只能治標而已③，所以根本解決之道仍在「敦諭詞臣，興復古道，更延博雅之士，布於台閣，以救斯文之薄而厚其風化也。」（〈奏上時務書〉、《范文正集》卷七）至於要如何興復古道？范仲淹在〈奏上時務書〉中有云：「臣聞國之文章，應於風化，風化厚薄，見乎文章。是故觀虞夏之書，足以明帝王之道。」所謂「虞夏之書」，當指六經而言。熟讀六經足以明帝王之道而厚其風化，佛教的種種流弊自然無由生起。由此可見，范仲淹的文學復古主張，也和欲變革佛教的傷風敗俗有關。

經由以上所述，中國文學復古風氣所以衍生，亦有部分原因是爲了糾正佛教有傷教化風俗的流弊。雖然他們甚少直接針對佛教的教義來予以討論批駁，所指責佛教的流弊也未必具有全面性，例如今人謝重光先生就曾於《漢唐佛教社會史論》中云：「唐代佛教政策的目標之一是嚴格控制教團規模，限制佛教政治、經濟力量的發展，結果教團的規模果然得到了有效的控制。太宗、高宗時期，全國寺數不足四千，僧尼不滿十萬，僧尼數不到全國人口的百分之一；玄宗開元時期，全國有寺五千三百五十八，僧七萬五千五百二十四，尼五萬五百七十六，僧尼共計約十二萬六千人，僧尼數約占全國總口數的四百六十幾分之一；武宗時期全國有寺四千六百多（招提、蘭若在外），僧尼二十六萬多，僧尼不及全國口數的百分之一。從唐初至唐末，寺數變化不大，僧尼數在全國戶口數中所佔比重的增長也不算大。……………。從一些朝臣的反佛議論看，唐代寺院經濟的力量似極強大，但會昌五年毀佛時，括出奴婢十五萬，還俗僧尼二十六萬餘。…………。而全國寺院所占的土地爲幾十萬頃，平均每人占地的數量不算多。據此，唐代佛教的經濟力量也在相當大的程度上受到控制。」（國際文化事業有限公司一九九〇年五月初版，頁三三八—三三九）此外黃敏枝先生也在《宋代佛教社會經濟史論》中云：「宋代佛教僧侶的僞濫和不法誠然是事實俱在，不過僅是少數分子如此，絕大多數的僧侶熱心地方公益事業，積極參與地方各種建設和慈善救濟事業。」（第十章：宋代佛教寺院與地方公益事業，頁四一三）由此可見，文學復古的提倡者對於佛教的指責實有流於以偏概全的現象。不過儘管如此，對於當時社會風氣的扭轉，文學復古者仍具有一定的貢獻，其中原因，正如清代紀昀於《閱微草堂筆記》卷十八〈姑妄聽之〉中云：

抑嘗聞五台僧明玉之言曰：「闢佛之說，宋儒深而昌黎淺，宋儒精而昌黎粗。」然而披緇之徒畏昌黎不畏宋儒，銜昌黎不銜宋儒也。蓋昌黎所辟，擅施供養之佛也，爲愚夫婦言之也。宋儒所辟，明心見性之佛也，爲士大夫言之也。天下士大夫少而愚夫婦多，僧徒之所取給亦資於士大夫者少，資於愚夫愚婦者多。使昌黎之說勝，則香積無烟，祇園無地，雖有大善知識，能率恆河沙眾枵腹露宿而説法哉！

換言之，以韓愈爲主的文學復古提倡者，對於佛教的批駁雖然只及表面而流於膚淺，但是由於指責之處，正是以迷信巧詐取資於愚夫愚婦而有傷教化風俗的擅施供養之佛，以致於韓愈被貶于潮州，「浮屠之徒，讙快以抃。」（唐、皇甫湜〈送簡師序〉中語，《皇甫持正集》卷二）王禹偁被召拜爲翰林學士，京城鉅僧不樂者乃大加毀謗（詳見王禹偁〈答鄭褒書〉，《小畜集》卷十八）。所以有此現象，正如紀昀所云「天下士大夫少而愚夫婦多，僧徒之所取給資於士大夫者少，資於愚夫愚婦者多。」由此可見，擅施供養之佛充斥民間，確實產生有傷教化風俗之弊④。文學復古者所以倡導欲恢復古人之行者，必從學古文始⑤，即是爲了修正佛教中有傷教化風俗的流弊所致。

【附註】

① 《行事鈔》卷二〈淨殘篇、畜寶戒〉中記載：「寶是八不淨財，……………。一、田宅園林，二、種植生種，三、貯積穀帛，四、畜養人僕，五、養繫禽獸，六、錢寶貴物，七、氈褥釜鑊，八、像金飾床及諸重物。」僧尼如不遵守以上戒律，便是「不淨業」而被視爲不淨人。

② 王禹偁於〈三諫書序〉中云：「臣聞前事者，後事之元龜也。…………。因採掇古人章疏，可救今時弊病者凡三篇。…………。其二以齊民頗耗，像教彌興，蘭若過多，緇徒孔熾，蠹人害政，莫甚於斯。臣故獻韓愈〈論佛骨表〉。」（《小畜集》卷十九）可見王禹偁至少是同意韓愈於〈論佛骨表〉中對佛教的批評。

③ 而且范仲淹這些苦心建議，在宋朝並沒有徹底實施，原因是政策會隨著不同帝王的喜好而改變。尤其自英宗治平年間公開出售度牒之後，更爲罪犯大開方便之門。關於這點，今人黃敏枝先生於學生書局出版之《宋代佛教社會經濟史論集》頁三九五論度牒中有詳盡的說明，可以參看。

④ 這種情形，一直到明朝都還被激烈的指責。如《明太宗寶訓》卷三載云：「上問侍臣曰：『聞近俗之弊，嚴於事佛而簡於事親，其先果有之乎？』對曰：『間有之。』上歎曰：『此蓋教化不明之過，…………。世人於佛老竭力崇奉，而於奉先之禮簡略者，蓋溺於禍福之說而昧其本也。率而正之，正當自朕始耳。』」又明顧起元所輯《客坐贅語》卷

二中云：「尼之富者，衣服綺羅，且盛飾香纓麝帶之屬，淫穢之聲，尤脛人耳。…………。邇年以來，僧道無端創爲迎接觀音等會，傾街動市，奔走如狂，亦非京邑所宜有也。表立淸規，楷正流俗，是在有識者深計之而已。」在這種習俗之下，遂連士子都陋經傳而尙佛老，忘正雅而務剽竊。所以神宗萬曆十五年，徐桓上書建議謂國家取士，必以聖賢理奧發明爲佳，坊間時文由於陋經傳而尙佛老，於聖賢白文、大義，茫然不解，所以應予板倒燒毀，以救時弊。此一建議，得到明神宗的同意。（詳見《明神宗實錄》卷一八七）明代文學所以會走上學古之路，多少亦與此有關。

⑤ 此爲李翺在〈答朱載言〉文中之語，原文爲「吾所以不協於時而學古文者，悅古人之行也；悅古人之行者，愛古人之道也。故學其言，不可以不行其行，行其行，不可以不重其道。」（《全唐文》卷六三五）

第二篇 本論：中國文學復古理論探究

第一章 「原道」、「宗經」觀念的提出與演變

前文已言及，儒家文化思想乃構築中國文學復古理論的主要淵源。因此，有關儒家思想的道統和經典，便成爲復古者極力宣傳遵崇的典範。所以欲探究中國文學復古理論內涵，自須先由所謂「原道」、「宗經」的文學觀念論起。「原道」和「宗經」雖自劉勰撰《文心雕龍》始立專篇闡論，然而早於劉勰之前，諸如荀子、揚雄亦曾論及；至於在劉勰之後，以「原道」和「宗經」作爲復古文學理論者更是不在少數。不過其中對於「原道」與「宗經」的意義認定卻有同有異，頗有值得探究之處。以下便略分三節來予以討論。

第一節 從荀子到劉勰對「原道」、「宗經」的看法

先秦儒家除孔、孟之外，特別强調文學思想必須原道、宗經者非荀子莫屬。當然，荀子所處的時

代，所謂的文學思想仍然包含在學術思想中而尚未分支獨立，因此在舉證論述時難免有所困難。不過由於荀子曾於〈儒效〉篇中云：「詩言，是其志也；書言，是其事也；禮言，是其行也；樂言，是其和也；春秋言，是其微也。」詳繹這段文字中所用的「言」，顯是意指構成詩、書、禮、樂、春秋的內容大旨，而接近於後代所謂的文學思想。換言之，荀子在論述過程中，有許多地方對於「言」的論點，也就接近於對文學的看法。明瞭此點之後，於是可以論述荀子的「原道」、「宗經」的思想。

荀子於〈儒效〉篇中云：「先王之道，仁人隆也，比中而行之。曷謂中？曰：禮義是也。道者，非天之道，非地之道，人之所道也。」顯然是以能行禮義爲先王之道。因此，「凡言不合先王，不順禮義，謂之姦言。」（〈非相〉）由於道的內涵即是禮義，所以一切言論（包括文字），凡是不合禮義即違反先王之道，便須加以拋棄。如此一來，自然便形成「道也者，治之經理也。」（〈正名〉）的觀點。先王之道既然成爲治理萬事萬物的原則，自然也成爲文學思想所必宗，所以〈儒效〉篇中說：

> 聖人也者，道之管也，天下之道管是矣，百王之道一是矣。故詩書禮樂之歸是矣。詩言，是其志也；書言，是其事也；禮言，是其行也；樂言，是其和也；春秋言，是其微也。故風之所以爲不逐者，取是以節之也。小雅之所以爲小雅者，取是而文之也。大雅之所以爲大雅者，取是而光之也。頌之所以爲至者，取是而通之也。天下之道畢是矣。鄉是者臧，倍是者亡；鄉是如不臧，倍是如不亡者，自古及今，未嘗有也。

聖人由於善行先王禮義之道，因而便成爲天下之道的中樞所在，不僅詩、書、禮、樂、春秋的內涵是聖人之道的顯現，連風、雅、頌之所以有節而歸於至正，都受其影響。論述至此，荀子强調文學必須原道的思想已經顯現出來。「鄉是者臧，倍是者亡。」一語，足見荀子强調原道思想的絕無妥協性。詩、書、禮、樂、春秋等經書既是聖人之道的具顯，在强調原道的同時，自然會形成宗經的思想。因此荀子於〈勸學〉篇中有云：「學惡乎始？惡乎終？曰：其數則始乎誦經，終乎讀禮。」楊倞注云：「經謂詩、書，禮謂典禮之屬也。」以誦讀詩、書爲學之始，而以讀禮爲止，豈非宗經思想的宣示！〈勸學〉篇又謂：「禮之敬文也，樂之中和也，詩、書之博也，春秋之微也，在天地之間者畢矣。」能學到禮的敬文、樂的中和、詩、書的廣記草木鳥獸及政事和春秋的微言褒貶之意，便達到「在天地之間者畢矣」而了無遺憾。由此可見，宗經和原道思想，在荀子心目中實爲一體兩面，具有同等的分量。基於此種觀點，凡是與原道、宗經思想不合的，都成爲荀子批駁的對象。譬如〈非十二子〉中評論惠施、鄧析謂：「不法先王，不是禮義，而好治怪說，玩琦辭，甚察而不惠，辯而無用，多事而寡功，不可以爲治綱紀。然而其持之有故，其言之成理，足以欺惑愚眾，是惠施，鄧析也。」這段文字中所須注意者，是荀子將怪說與琦辭視爲「不法先王，不是禮義」所導致的現象，此點影響後代復古文學思想極大，自此而後，爲文法儒家所謂先王之道者爲正統，反之則斥爲邪說。繼荀子之後，强調此種原道、宗經思想的爲西漢揚雄。揚雄於《法言、問道》中云：

> 或問道。曰：道也者，通也。無不通也。或曰：可以適他歟？曰：適堯舜文王者爲正道，非堯舜文王者爲他道。君子正而不他。

可見揚雄所原之道，亦爲儒家所常言的先王之道，與此合則爲正統，否則爲邪說。因此，揚雄批評公孫龍說：「或問公孫龍詭辭數萬以爲法，法與？曰：斷木爲棊，梡革爲鞠，亦皆有法焉。不合乎先王之法者，君子不法也。」（《法言、吾子》）由於先王之法、道全都記載於五經中，宗經便成了瞭解先王之道的唯一方法。因而揚雄在批評公孫龍的詭辭不合先王之法後接著說：

> 觀書者，譬諸觀山及水，升東嶽而知眾山之峛崺也，況介丘乎！浮滄海而知江河之惡沱也，況枯澤乎！舍舟航而濟乎瀆者，末矣；舍五經而濟乎道者，末矣。棄常珍而嗜乎異饌者，惡覩其識味也？委大聖而好乎諸子者，惡覩其識道也。（《法言、吾子》）

觀山者如已登過泰山，渡水者如已浮過滄海，所謂介丘、枯澤根本就不值一提，用以比喻宗經的必要。又捨舟航而欲渡，人盡知其不可能，所以捨棄五經而欲認識先王之道，同樣亦不可能。因此，五經成了瞭解先王之道的必讀之書。在這種觀點下，無論語言、文字如果不合於經，則愈多愈害，所以揚雄又說：「書不經，非書也；言不經，非言也。言、書不經，多多贅矣。」（《法言、問神》）言、書既然必須合乎聖人所著之經，復古的文學思想便具顯而出。不過揚雄本身畢竟是文學家，因此在強調原道和宗經的文學思想之時，並沒有廢棄文學作品的辭藻之美，只是認爲辭藻之美不能亂了法度。《法言、吾子》中有云：

> 或曰：女有色，書亦有色乎？曰：有。女惡華丹之亂窈窕也，書惡淫辭之淈法度也。

肯定「書亦有色」，即是同意文學作品須有適度的修辭之美，但卻不得淪爲淫辭而混亂先王所傳下來的規範法度。為了說明這點，揚雄又進一步指出：「事勝辭則伉，辭勝事則賦，事辭稱則經，足言足容，德之藻矣。」（《法言、吾子》）為文修辭如果重視內容而沒有適度的辭藻來修飾，則難免率直之弊；但是如以過當的修辭來形容事實，則又有雕繪之病。所以最好是修辭與事實相稱，如此便合於經典的形式與內涵。這種理論，其實即為孔子文質並重說的敷演。

論述至此，可以發現荀子與揚雄對於原道及宗經思想的申論，雖有繁簡卻並無大異，所原之道與所宗之經，皆為儒家的文化思想。接下來討論劉勰對原道與宗經的意義界定。

在討論劉勰對原道、宗經的意義認定之前，必須先清楚劉勰撰著《文心雕龍》的用意動機。《文心雕龍、序志》中謂：

> 敷讚聖旨，莫若注經，而馬、鄭諸儒，弘之已精，就有深解，未足立家。唯文章之用，實經典枝條，五禮資之以成，六典因之致用，君臣所以炳煥，軍國所以昭明，詳其本源，莫非經典。而去聖久遠，文體解散，辭人愛奇，言貴浮詭，飾羽尚畫，文繡鞶帨，離本彌甚，將遂訛濫。蓋周書論辭，貴乎體要；尼父陳訓，惡乎異端；辭訓之異，宜體於要。於是搦筆和墨，乃始論文。

在這段文字中，劉勰明白的指出文章的本源即是儒家的經典，到了六朝之時，由於「去聖久遠，文體解散；辭人愛奇，言貴浮詭，飾羽尚畫，文繡鞶帨，離本彌甚，將遂訛濫。」所以劉勰才有撰著《文心雕龍》的動機。其中所論，與揚雄「書惡淫辭之淈法度也」的主張，基本上是相通的。除此之外，劉勰又指出當時的文學批評之所以不盡如人意，主要原因在於「並未能振葉以尋根，觀瀾而索源。不述先哲之誥，無益後生之慮。」所謂的尋根索源，述先哲之誥，指的即是儒家的經典。所以劉勰接下來便指出：「蓋《文心》之作也，本乎道，師乎聖，體乎經，酌乎緯，變乎騷，文之樞紐，亦云極矣。」根據前文來推論，所謂「本乎道」指的亦應為儒家之道，也就是說《文心雕龍》是劉勰本著儒家之道來撰述的。然而這是否為劉勰對於「道」的唯一解釋？恐怕不盡然。因為劉勰在〈原道篇〉篇中指出：

夫玄黃色雜，方圓體分，日月疊壁，以垂麗天之象；山川煥綺，以鋪理地之形；此蓋道之文也。仰觀吐曜，俯察含章，高卑定位，故兩儀既生矣。惟人參之，性靈所鍾，是謂三才。為五行之秀，實天地之心。心生而言立，言立而文明，自然之道也。

日月垂麗天象與山川的鋪理地形，既為「道之文」，可見這個「道」就不是儒家之道而是自然之道。所以劉勰接著說：「傍及萬品，動植皆文，龍鳳以藻繪呈瑞，虎豹以炳蔚凝姿；雲霞雕色，有踰畫工之妙；草木賁華，無待錦匠之奇，夫豈外飾，蓋自然耳。」（〈原道〉）天地自然物態既能不假外飾而妙生姿態，因此，為文之道自應遵循此種自然之道。劉勰既於〈序志〉篇中明白指出《文心雕龍》的撰述乃是本乎儒家之道而作，何以在首篇〈原道〉中又直指為文必須效法自然之道？原來這種看似矛盾的現象，正是劉勰用心良苦之處，因為劉勰之意，即在於假復古之名以行革新文學之實，也就是思欲融和魏晉以來的文學思想與儒家的文化思想為一。基於此一理念，劉勰一方面強調文章源於自然之道，但是一方面也承認儒家的聖人對自然文采的創製顯示之功。因此，〈原道〉中又云：

> 爰自風姓，暨於孔氏，玄聖創典，素王述訓，莫不原道心以敷章，研神理而設教，取象乎河洛，問數乎蓍龜，觀天文以極變，察人文以成化，然後能經緯區宇，彌綸彝憲，發輝事業，彪炳辭義。故知道沿聖以垂文，聖因文而明道，旁通而無滯，日用而不匱。

伏羲及孔子在草創聖典時，雖「原道心以敷章」，但是如果沒有這些聖人來傳播自然之道，自然之道也不可能變成文而被記錄下來，所以劉勰總結地說：「道沿聖以垂文，聖因文而明道。」自然之道既然需要依賴儒家聖人所草創的經典來顯現，欲探源自然之道當然就必須先閱讀儒家的經典。所以劉勰所原之道雖是自然之道，但是最後還是回到儒家之道的宗經思想中。瞭解此中原由，對於劉勰於〈宗經〉篇中所言：「三極彝訓，其書言經。經也者，恆久之至道，不刊之鴻教。」將道又視爲儒家之道，就不會覺得矛盾。文學作品探源於自然之道，可以得到如同龍鳳呈瑞、虎豹凝姿一般的藻繪，這是認同於齊梁時代對文學形式美的要求。但是強調探源自然之道必須宗經，文學才能達到情深而不詭、風清而不雜、事信而不誕、義直而不回、體約而不蕪、文麗而不淫（〈宗經〉篇中語），就已經有革新齊梁文學過度偏向縟麗之弊的用意。如此一來，劉勰便將六朝偏重形式美的文學觀念，與重視內容的儒家思想融和在一起。

論述至此，可以發現原道及宗經的思想，由荀子、揚雄發展到劉勰，內涵已經不全相同。荀子與揚雄在申論原道、宗經思想之時，乃本著儒家文化道統的傳承者自居。至於劉勰則認爲，文采是源於自然之道，由聖人「觀天文以極變，察人文以成化。」（〈原道〉中語）而後所得，因而思欲於儒家之道與自然之道間作一調和。此種立論，看似復古，實則爲一種文學革新。就劉勰當時所處的文學環境而言，這種假復古以行革新文學之實的主張，可說是十分具有前瞻性與改良性。歸納以上所論，自此而後的中國文學復古理論提出者，凡是强調遵循傳承儒家道統者，大多偏向荀子與揚雄的主張來加以演繹。至於欲藉復古來達到革新文學目的者，率皆效法劉勰的方式。假復古以革新文學的方式，爲唐宋以後的古文家所本；至於荀子和揚雄以儒家之道爲正統的文學思想，則演變成道學家的文論。有關這兩個文學流派的內涵，下二節中將予分別討論。

第二節　「貫道」、「明道」文論的意義探索

上節中嘗言及，劉勰的原道思想，主要在於欲融合儒家之道與自然之道，也就是希冀在文學的形式與內容間取得平衡。但是由於彼時正値唯美文學盛行之時，劉勰此種主張並未引起多大的改良效果①。進入隋代之後，許多學者在探討六朝的興亡衰替原因時，開始注意到彼時重文輕質的華麗雕琢文學風氣，對社會國家衰亂的影響。爲了避免重蹈六朝政局衰亂的覆轍，於是便出現文學革新的要求。譬如李諤在〈上隋高帝革文華書〉中便認爲魏晉以來所以風教衰落、政治紊亂的主因在於：

> 魏之三祖，更尚文詞，忽君人之大道，好雕蟲之小藝。…………。至如義皇、舜、禹之典，伊

、傅、周、孔之說，不復關心，何嘗入耳！以傲誕為清虛，以緣情為勳績，指儒素為古拙，用詞賦為君子。故文筆日繁，其政日亂，良由棄大聖之軌模，構無用以為用也。（《隋書》卷六十六〈李諤傳〉）

文中所云「大聖之軌模」，意指「羲皇、舜、禹之典，伊、傅、周、孔之說」，也就是載有儒家聖人之道的經典。至於魏晉以來，所以「其政日亂」，即因當時的文學風氣不重視儒家的經典而只好雕蟲小藝所致。細觀李諤此文中所展現的主張，乃將儒家之道推為為文必宗的最高典範，而與綺華的辭藻成為對立。不過任何文學風氣的形成與改變，都非朝夕之功所能奏效，因而魏徵在《隋書、文學傳序》中有云：

高祖初統萬機，每念斲雕為樸，發號施令，咸去浮華。然時俗詞藻，猶多淫麗。故憲臺執法，屢飛霜簡。（《隋書》卷七十六）

儘管隋高帝接受李諤的建議，令憲司執法，彈劾文表華艷的官吏，但是並未能斷絕世俗重視華麗詞藻的風氣。其中緣由，乃因重視雕琢美的文學風氣，自晉至隋已經流行了二、三百年，雖說君王的喜惡通常是影響文學風氣的主導因素，但也不可能於短期內扭轉積習近三百年的文學唯美風氣。何況中國文字本身即隱含有對偶併儷之美的特性，經過六朝文人的任意創製揮灑，已在中國文學中增添了新的體貌與色彩；因此，欲將華美的修辭完全自中國文學中剔除，幾乎是不可能。但是南朝華靡文風所產生的弊害，實在令人心生惕戒，所以在李諤之後，又有王通提出文學革新的主張，《中說、天地篇》

中記載：

子曰：學者博誦云乎哉！必也貫乎道。文者苟作云乎哉！必也濟乎義。

這種以貫道，濟義當作爲學、作文唯一目標的主張，似乎比李諤思以政治力量來禁斷華麗文風的作法，顯得更爲明確而具體。作文必須及理，爲學必須貫道，凡是與此不合者，無論古今，皆不值得討論、倣效。「文以貫道」理論的雛型已經出現了。但是王通此種理論亦不顯於當時，可見爲了糾正六朝華靡文風，所提出的重道輕文的文學革新方法，仍然未受時人通盤接受。不過可注意的是，此時卻逐漸出現一些文質並重的折衷理論，譬如魏徵於《隋書、文學傳序》中云：

江左宮商發越，貴於清綺；河朔詞義貞剛，重乎氣質。氣質則理勝其辭，清綺則文過其意。理深者便於時用，文華者宜於詠歌。此其南北詞人得失之大較也。若能擷彼清音，簡茲累句，各去所短，合其兩長，則文質斌斌，盡善盡美矣。（《隋書》卷七十六）

北方的文學作品偏重內涵氣質，於是有理勝其辭的現象；南方的文學作品則偏向清綺的修辭，因而有文過其意之弊。所謂「理深者便於時用，文華者宜於詠歌」一語，顯示已經認定文學作品的理深與文華各具特色，而非是一味排斥文華的修辭。因此，才會有「若能擷彼清音，簡茲累句，各去所短，合其兩長，則文質斌斌，盡善盡美矣。」的主張與期待。魏徵之外，令狐德棻於《周書、王褒庾信傳》論後亦云：

原夫文章之作，本乎情性，覃思則變化無方，形言則條流遂廣。雖詩賦與奏議異軫，銘誄與書論殊塗，而撮其指要，舉其大抵，莫若以氣爲主，以文傳意。考其殿最，定其區域，摭六經百氏之英華，探屈、宋、卿、雲之秘奧，其調也尚遠，其旨也在深，其理也貴當，其辭也欲巧。然後瑩金璧、播芝蘭，文質因其宜，繁約適其變。權衡輕重，斟酌古今，和而能壯，麗而能典，煥乎若五色之成章，紛乎猶八音之繁會。（《周書》卷四十一）

所謂「其理也貴當，其辭也欲巧。然後瑩金璧，播芝蘭，文質因其宜，繁約適其變。」云云，也是强調文理、修辭各有所長，爲文者必須兩者兼俱，然後可以言通才。這種强調質文不可偏廢的折衷論點，在李諤、王通强烈排斥華麗修辭，極力倡導重道不重文的文學主張之後出現，可謂極具意義。原來魏徵及令狐德棻並非不主文以貫道之說，譬如魏徵於《隋書、文學傳序》前段即云：「然則文之爲用，其大矣哉！上所以敷德教於下，下所以達情志於上。大則經緯天地，作訓垂範；次則風謠歌頌，匡主和民。」（《隋書》卷七十六）令狐德棻亦於《周書、王褒庾信傳論》開頭云：「是以曲阜多才多藝，鑒二代以正其本；闕里性與天道，修六經以維其末。故能範圍天地，綱紀人倫。」（《周書》卷四十一）諸如此類言論，都顯示於魏徵及令狐德棻心目中，文學最大的功能，仍在敷德教、達情志、綱紀人倫，也就是貫通傳播儒家的聖賢之道。不過除此而外，魏徵及令狐德棻仍然承認文華修辭的重要性。綜而言之，從李諤、王通到魏徵和令狐德棻，他們的共識是提昇儒家之道於文學中的地位，用以補救六朝以來文學偏重修辭的弊病。所不同的是，李諤及王通爲了補救時弊，不惜矯枉過正，力主爲文須廢棄華麗的文采修辭而以貫道、明理爲主。此種主張，由於無視於既存崇尚修辭的文學時尚，所以少獲共鳴。至於魏徵和令狐德棻强調質文不可偏廢的論點，乍看似乎是一種折衷理論，實際上則是漸進的文學革新方式。自此以後的文以貫道或明道理論內涵，率皆遵循此一模式，也就是一面打著明道、貫道的文學復古口號，一面又肯定爲文修辭的必要性。其中代表人物，自然非韓愈、柳宗元二人莫屬，先論韓愈。

韓愈亦有〈原道〉一文，說明其所原之道謂：「博愛之謂仁，行而宜之之謂義，由是而之焉之謂道，足乎己無待於外之謂德。仁與義爲定名，道與德爲虛位。…………。凡吾所謂道德云者，合仁與義言之也，天下之公言也。」（《五百家注昌黎文集》卷十一）明顯地指出，韓愈所原之道爲儒家之道。所以在〈答李翊書〉一文中謂：

始者非三代兩漢之書不敢觀，非聖人之志不敢存，處若忘，行若遺，儼乎其若思，茫乎其若迷。當其取於心而注於手也，惟陳言之務去，戛戛乎其難哉！…………。吾又懼其雜也，迎而距之，平心而察之，其皆醇也，然後肆焉。雖然，不可以不養也。行之乎仁義之途，游之乎詩書之源，無迷其途，無絕其源，終吾身而已矣！（《五百家注昌黎文集》卷十六）

根據以上言論，可見所謂「仁義之途」與「詩書之源」，就是韓愈爲文的最高典範。「仁義」是儒家之道的最高超表現，詩、書則是記載儒家之道的典籍，所以韓愈爲文的最高典範就是儒家之道，其〈答李師錫秀才書〉中云：「然愈之所志於古者，不惟其辭之好，好其道焉爾。」（《五百家注昌黎文集》卷十六）就是上述主張的明確宣示。

不過韓愈對文學的看法如果僅止於上述所論，他所領導的古文運動絕對無法獲得那種空前的成就。原來，韓愈除了標榜儒家之道爲行文的最高思想典範之外，同時也重視載有儒家之道的經典中所用的修辭，其〈答陳生書〉中云：「愈之志在古道，又甚好其言詞。」（《五百家注昌黎文集》卷十六）又〈題歐陽生哀辭後〉亦云：「愈之爲古文，豈獨取其句讀不類於今者耶！思古人而不得見，學古道則欲兼通其辭，通其辭者，本志乎古道者也。」（《五百家注昌黎文集》卷廿二）這二段文字代表二層意義：第一是韓愈重視儒家經典中的修辭，目的是爲了貫通古道；第二則是韓愈學習經典中修辭的方法並不是一味模仿，而是「通其辭」，也就是瞭解吸收經典中修辭的優點，然後出以己意。這二層意義說明了韓愈雖然主張文以貫道，但是爲了要貫道而努力兼通經典中修辭的過程，已經爲彼時駢偶的文學製作立下革新的典範。韓愈此種文學革新的方式所以值得重視，在於他不僅要革新文學的內涵，也要改變誇多鬥靡的文學形式。欲革新文學的內涵，所以爲文要貫道、明道；至於改革誇多鬥靡的文學形式，並非捨棄修辭，而是認爲修辭要合於理，最好的方式是遵循儒家經典的修辭再予以變化。所以韓愈在〈進學解〉中有謂：

> 沈浸醲郁，含英咀華，作爲文章，其書滿家。上規姚姒，渾渾無涯；周誥、殷盤，佶屈聱牙；春秋謹嚴，左氏浮誇；易奇而法，詩正而葩；下逮莊、騷，太史所錄，子雲、相如，同工異曲。先生之於文，可謂閎其中而肆於其外矣。（《五百家注昌黎文集》卷十二）

由此可見，韓愈雖然主張爲文必須貫道、宗經，但是眞正在從事文學製作時，是「沈浸醲郁，含英咀華」而沒有自我設限，亦即在〈答劉正夫書〉中所言的師古聖賢之意而不師其辭，「若皆與世浮沈，不自樹立，雖不爲當時所怪，亦必無後世之傳也。」韓愈的古文運動由於具有如此通達的理論，無怪乎能在中國文學史中增添重要的一頁。接下來談柳宗元的「文以明道」。

唐宋以後的古文家大多以韓愈、柳宗元並稱，不過柳宗元雖然曾經明白提出「文以明道」的口號，但是卻比韓愈更偏向重文，且看其〈答韋中立論師道書〉中云：

> 始吾幼且少，爲文章以辭爲工。及長，乃知文者以明道，是固不苟爲炳炳烺烺、務采色、誇聲音而以爲能也。凡吾所陳，皆自謂近道，而不知道之果近乎！遠乎！吾子好道而可吾文，或者其於道不遠矣。故吾每爲文章，未嘗敢以輕心掉之，懼其剽而不留也；未嘗敢以怠心易之，懼其弛而不嚴也；未嘗敢以昏氣出之，懼其昧沒而雜也；未嘗敢以矜氣作之，懼其偃蹇而驕也。抑之欲其奧，揚之欲其明，疏之欲其通，廉之欲其節，激而發之欲其清，固而存之欲其重，此吾所以羽翼夫道也。本之書以求其質，本之詩以求其恆，本之禮以求其宜，本之春秋以求其斷，本之易以求其動，此吾所以取道之原也。參之穀梁氏以厲其氣，參之孟、荀以暢其支，參之莊、老以肆其端，參之國語以博其趣，參之離騷以致其幽，參之太史以著其潔，此吾所以旁推交通而以爲之文也。（《柳河東集》卷三十四）

此段文字，通常被作爲柳宗元提倡「文以明道」說的例證。然而細繹之後，可以發現，柳宗元所以有「及長，乃知文者以明道」的體悟，只是針對往昔爲文務采色、誇聲音的華麗修辭習尚之反省而已。

僅此一點，與韓愈「始者非三代兩漢之書不敢觀，非聖人之志不敢存，處若忘，行若遺，儼乎其若思，茫乎其若迷。」（〈答李翊書〉）那種對聖人之道全心投入的情況已有不同。何況柳宗元又自言其每爲文章，不敢掉以輕心的主因乃在於「所以羽翼夫道」，爲文目的只在「羽翼夫道」，重文的傾向便十分明顯。基於此種重文的傾向，柳宗元對於爲文取道之原—書、詩、禮、春秋、易，與可以旁推交通以爲之文—穀梁、孟、荀、莊、老、國語、離騷、史記等，便分別給予相當的重視。這種作法，即在嘗試打破爲文獨尊儒家經典的文化傳統②。換言之，儒家的經典雖仍然是爲文求道之原，但是如果要鍊其文氣、暢通文意、爲文出奇無端而別具奇趣，以及在文章中蘊有幽深微渺的情懷和精鍊的文字技巧，就必須旁涉其他子史之書。因此，柳宗元於〈楊評事文集後序〉中又云：

> 贊曰：文之用，辭令褒貶，導揚諷諭而已。雖其言鄙野，足以備於用，然而闕其文采，固不足以竦動時聽，誇示後學，立言而朽，君子不由也。（《柳河東集》卷廿一）

所謂「立言而朽，君子不由也。」一語，充分顯示柳宗元認定適度的文采修辭，更足以闡明聖賢之道。緣此益見，柳宗元欲破除爲文獨宗儒家經典習尙之主張，亦和其重文傾向有關。

論述至此，已經可以發現，無論韓愈的學以貫道或柳宗元的文以明道，其實都是繼承劉勰假復古以革新文學的原道、宗經思想加以演繹而成。至於破除向來爲文獨尊六經的傳統，更是貢獻卓越。自此而後，只要有利於傳播儒家之道，文人大可於諸子百家中吸取爲文的方法。也就是說，六經仍是爲文之本，但是如欲文章枝葉繁茂，則爲文不可止於學六經。強調六經是爲文之本，這是重道，以防止文人溺於文而使文學作品內容空洞，容許自諸子百家吸取文采，以避免立言而朽，失去誇示後學聖賢之道的機會，這是重文。韓愈、柳宗元二人的重文傾向雖有不同，但是重文的目的在於明道的觀念則是一致。重道的目的為了充實文的內涵，重文的目的在於貫通聖人之道，這就是韓愈、柳宗元二人貫道、明道文學主張的主要含意。後起的古文家在論文與道的關係上，鮮能脫出韓、柳的論述範圍。若謂不信，再見下論。

歐陽修為北宋古文運動的主要完成者，且看他對文與道關係的看法，其〈答吳充秀才書〉中云：

> 夫學者，未始不為道，而至者鮮焉。非道之於人遠也，學者有所溺焉爾。蓋文之為言，難工而可喜，易悅而自足。世之學者，往往溺之，一有工焉，則曰：吾學足矣！甚者至棄百事，不關於心，曰：吾文士也，職於文而已。此其所以至之鮮也。昔孔子老而歸魯，六經之作，數年之頃爾。然讀易者如無春秋，讀書者如無詩，何其用功少而至於至也。聖人之文雖不可及，然大抵道勝者，文不難而自至也。（《歐陽文忠公集》卷四十七）

所謂「道勝者，文不難而自至也。」一語，直是韓愈〈送陳彤秀才書〉中「苟行事得其宜，出言適其要，雖不吾面，吾將信其富於文學也。」（《五百家注昌黎文集》卷二十）理論的翻版。然而正如同韓愈一樣，歐陽修提倡重道的主張，只是不願當世學者因為溺於文采，以致忽略了傳播聖賢之道的責任，並非意主廢棄文采。故而在〈與張秀才第二書〉中即謂：

> 君子之於學也，務為道，為道必求知古，知古明道而後履之。以身施之於事，而又見於文章而

發之，以信後世。其道周公、孔子、孟軻之徒，常履而行之者是也。其文章則六經所載，至今而取信者是也。（《歐陽文忠公集》卷六十六）

爲學雖然務在知古明道，但是若無適當的文采來予以修飾，則聖人之道又如何傳信後世！周公、孔子、孟子所傳之道，由於載在六經，而六經中的文采自古即爲眾所公認，因而至今尙能取信於世人。由此可見，歐陽修雖然力主爲學以明道，但是也强調適度的文采修辭，有助於知古明道。因此，在〈代人上王樞密求先集序書〉中，便揭出「言以載事而文以飾言，事信、言文，乃能表見於後世。」的理論：

某聞傳曰：「言之無文，行而不遠。」君子之所學也，言以載事而文以飾言，事信、言文，乃能表見於後世。詩、書、易、春秋，皆善載事而尤文者，故其傳尤遠。荀卿、孟軻之徒，亦善爲言，然其道有至有不至，故其書或傳或不傳，猶繫於時之好惡而興廢之。其次楚有大夫者，善文其謳歌以傳。漢之盛時，有賈誼、董仲舒、司馬相如、揚雄，能文其文辭以傳。由此以來，去聖益遠，世益薄，……………。事信矣，須文；文至矣，又繫其所恃之大小，以見其行遠不遠也。……………。至唐之興，若太宗之政，開元之治，憲宗之功，其臣下又爭載之以文詞。或播樂歌，或刻金石。故其間鉅人碩士，閎言高論，流鑠前後者，恃其所載之在文也。故其言之所載者大且文，則其傳也章；言之所載者不文而又小，則其傳也不章。（《歐陽文忠公集》卷六十七）

歐陽修在這段文字中，既然先舉詩、書、易、春秋等儒家經典，來說明得以傳之久遠之因是「善載事而尤文」，可見所謂「載事」一詞，即指載於詩、書、易、春秋等經典中諸事，亦即載道之意。在歐陽修心目中，儒家的經典所以能流傳後世，除了「善載事」（亦即「善載道」）之外，尤其具有文飾、文采也是重要原因。其他如屈原、賈誼、董仲舒、司馬相如、揚雄之文得以流傳，也是由於「能文其文辭」之故。所以，歐陽修最後下個結論：「言之所載者大且文，則其傳也章；言之所載者不文而又小，則其傳也不章。」也就是說文章的流傳與否，固然視其所載聖賢之道的內涵多寡而定，但是也須適度的文采來修飾，如此明道的效果才會彰顯。這種主張，豈非柳宗元「雖其言鄙野，足以備於用，然而闕其文采，固不足竦動時聽，誇示後學，立言而朽，君子不由也。」（〈楊評事文集後序〉、《柳河東集》卷廿一）理論的延申③。

論述至此，似乎可以發現，貫道、明道的文論由韓愈、柳宗元發展到歐陽修，已逐漸由重道不廢文，演變成重文以明道。重道不廢文的理論中，道仍是本，文則爲末，二者仍然輕重有別。到了重文以明道的觀念確立後，文與道才眞正被視爲並重，而爲文者在師古、宗經之餘，仍可以表現一些自我的文采，這在中國文學復古理論中，是種極具意義的突破，並且一直影響到淸代桐城派的文論。譬如方苞曾批評柳宗元之文謂：「彼言涉於道，多膚末支離而無所歸宿，且承用諸經字義，尙有未當者；蓋其根源，雜出周、秦、漢、魏、六朝諸文家，而於諸經，特用爲采色聲音之助爾。」（〈書柳文後〉、《方望溪全集》卷五）言下之意，對柳宗元爲了重視文采，破除爲文獨宗儒家經典的主張頗不以爲然。又曾謂「歐陽永叔粗見諸經之大意，而未通其奧賾。」（〈答申謙居書〉、《方望溪全集》卷六）根據這些論述主張，方苞論文似乎偏重在道的方面，實則不然，其〈答程夔州書〉中有云：

凡爲學佛者傳記，用佛氏語則不雅，子厚、子瞻皆以茲自瑕。至明錢謙益，則如涕唾之令人殼矣！豈惟佛說，即宋五子講學口語，亦不宜入散體文，司馬氏所謂言不雅馴也。寄來二作皆不苟，所薙芟數語，乃時人所謂大好者，他日當面析之。此雖小術，失其傳者七百年。（《方望溪全集》卷六）

此段文字中所申論者，全在於爲文之法而與道無關，方苞甚且沾沾自喜的自謂：「此雖小術，失其傳者七百年。」由此可見，方苞所引以自負者，正在爲文之法，而且視爲自得之秘。所以方苞於〈又書貨殖傳後〉有云：「春秋之制義法，自太史公發之，而後之深於文章者亦具焉。義即易之所謂『言有物』也，法即易之所謂『言有序』也。義以爲經而法緯之，然後爲成體之文。」（《方望溪全集》卷二）可見爲文的內容與形式，都爲方苞所看重。所云「義以爲經而法緯之」一語，意指修飾裁剪適當文辭，以彰顯本於聖賢之道的內涵。如此一來，豈非即是從韓愈、柳宗元到歐陽修，所發展出來重文以明道理論的延伸！

經過本節討論之後，可以發現貫道、明道文論的出現，原是爲了糾正六朝唯美文學之弊而起。由於六朝華靡文風所產生的弊害令人印象深刻而心生戒惕，因而貫道、明道的文論初起之時，大多矯枉過正，持論者往往將儒家之道推爲作文的唯一典範而排斥文采修辭。然而由於文明的不斷進展，人們對於美的追求亦日趨複雜，文學作品又何獨能例外！在這種情況下，思欲改良文學的作法，便是正視既存的文學環境，再提出補救良方。從韓愈、柳宗元到歐陽修倡導的古文運動，所以能夠造成風潮，影響後世，原因固然很多，但是最主要的應是他們給予貫道、明道文論新的意義，留與後代爲文者一扇自由發展的空間。雖然以今日眼光看來，這種重文以明道的文學觀點仍然有其局限性，但是就獨尊儒家思想的傳統社會中而言，已屬一種革命性的突破。

【附註】

① 就連劉勰所撰的《文心雕龍》都是用駢文寫成的，可見當時希冀在文學的形式與內容間取得平衡，並不是一件容易的事。又梁朝的裴子野雖然曾寫成〈雕蟲論〉來批評當時華靡的文風，但是幾乎沒有引起任何回響。梁簡文帝甚至還寫了一篇〈與湘東王書〉爲華麗的文風辯護，反譏裴子野謂「裴氏乃是良史之才，了無篇什之美。」（見《全梁文》卷十一）由此可見，劉勰在當時雖然提出文學改良的方法與主張，但是效果卻十分微小。

② 就打破爲文獨尊儒家經典的文化傳統這一點而言，柳宗元似乎比韓愈更具革新性，因爲韓愈儘管有意革新文學，卻不會坦承爲文目的只在於「羽翼夫道」。也由於此一原因，柳宗元在後代古文家心目中的地位，始終不如韓愈。不過就文學進化的觀點而論，柳宗元這種主張，反而帶給文學作品更多的生命力。

③ 從柳宗元發展到歐陽修，儘管爲文表面上仍是重文以明道，但是就文論文的趨勢已日漸明顯，例如歐陽修在〈代人上王樞密求先集序書〉中謂屈原善文其謳歌以傳，賈誼、董仲舒、司馬相如、揚雄能文其文辭以傳，都只是就文而論。

這種就文論文的趨勢，演變到了蘇洵、蘇軾、蘇轍父子手中，便只是就文的風格來論其價值而不及內容，譬如蘇洵於〈上歐陽內翰書〉中云：「孟子之文，語約而意盡，不爲巉刻斬絕之言，而其鋒不可犯。韓子之文如長江大河，渾浩流轉，魚黿蛟龍，萬怪惶惑，而抑遏蔽掩，不使自露；而人望見其淵然之光，蒼然之色，亦自畏避，不敢迫視。執事之文，紆餘委備，往復百折，而條達疏暢，無所間斷，氣盡語極，急言竭論，而容與閒易，無艱難勞苦之態。」（《嘉祐集》卷十一）文中全就孟子、韓愈、歐陽修諸人爲爲文的風格來予以申論，而跳出以往論文必及於道的窠臼。這種轉變，使得三蘇的作品顯得姿態橫生而在文學史上佔了重要一頁。論其源流，仍與柳宗元與歐陽修有著密切關係。

第三節 「文以載道」說的評述

韓愈和柳宗元二人所倡導之貫道、明道文學主張，雖然並不排斥爲文適度的修辭，不過由於所原之道，即爲儒家之道，在學主宗經思想的長期熏陶下，獨守六經以言道遂成了無可避免之事。又唐季五代，風俗奢淫，士習卑陋，文人專事詞章而不知淑世，甚且身事二姓而不以爲恥。有宋建國之後，鑒於唐季五代亡國之弊，有識之士莫不思以道義矯正。獨守六經以言道的習尚，加上詞章不足以淑世的觀念，自然便出現重道輕文的思想。譬如熟悉唐季五代史事，痛責彼時士人不知廉恥以致亡國的司馬光，即曾於〈答陳充秘校書〉中云：

足下書所稱引古今傳道者，自孔子及孟、荀、揚、王、韓、孫、張、賈才十人耳。若語其文，則荀、揚以上不專爲文，若語其道，則恐王、韓以下，未得與孔子並稱也。……。彼數君子者，誠大賢也，然於道殆不能無駁而不粹者焉。足下必欲求道之眞，則莫若以孔子爲的而已。（《溫國文正司馬公文集》卷五十九）

孔、孟不專爲文，然而得以道傳於後世。此道乃孔子「述三皇、五帝、三王之道也。三皇、五帝、三王，亦非取諸己也，沟探天地之道，以教人也。」（〈答陳充秘校書〉）因此，後世雖有大賢君子，就學道而言，唯有以孔子爲的而已。此外，司馬光又於〈文害〉文中云：

或謂迂叟：「子于道則得其一、二矣，惜乎無文以發之！」迂叟曰：「然。君子有文以明道，小人有文以發身。夫變白以爲黑，轉南以爲北，非小人有文者孰能之？」（《溫國文正司馬公文集》卷七十四）

面對時人有道無文的惋惜，司馬光的回答是「君子有文以明道，小人有文以發身。」同樣的「文」，君子可用以明道；至於小人則用以發身，結果導致「變白以爲黑，轉南以爲北」的弊害。爲了防止小人因文以發身所衍生的弊害，因而司馬光寧可有道而無文①。同樣重道輕文的思想，也出現在與司馬光同時的孫復主張中，孫復於〈答張洞書〉中云：「明遠無志於文則已，若有志也，必在潛其心而索其道。潛其心而索其道，則有所得也必深；其所得也既深，則其所言者必遠；既深且遠，則庶乎可望於斯文也。」（《孫明復小集》卷二）此種主張，簡言之，即是認定得於道者必有文。這種重道輕文的思想繼續演變擴大，到了周敦頤手裡，終於出現「文以載道」的主張，其《通書、文辭》中云：

> 文所以載道也。輪轅飾而人弗庸，徒飾也，況虛車乎？文辭，藝也；道德，實也。篤其實而藝者書之，美則愛，愛則傳焉，賢者得以學而至之，是爲教。故曰：「言之無文，行之不遠。」然不賢者，雖父兄臨之，師保勉之，不學也；強之，不從也。不知務道德而第以文辭爲能者，藝焉而已。噫！弊也久矣。（《周子通書》卷廿八）

周敦頤此段論述文與道的文字，可以分成三方面來說明。第一，所謂「文辭，藝也；道德，實也。」是將文與道截然分開，文辭只是一種藝能，爲傳道而用，是以凡「不知務道德而第以文辭爲能者」，便無足言，於是文辭成了傳道的工具。第二，在說明道德何以能傳至後世時，周敦頤又說：「篤其實而藝者書之，美則愛，愛則傳焉，賢者得以學而至之。」雖然「篤其實」仍是傳道的先決條件，但是必須在修辭上呈現美的形式，以使人衷心愛慕而自願學道。如此一來，似乎又並不完全否認文辭美的功能。第三，周敦頤在說完「美則愛，愛則傳焉」之後，又強調「然不賢者，雖父兄臨之，師保勉之，不學也；強之，不從也。」所謂不賢者，即指不篤其實者，也就是不務道德者，此等人就算道德以美的形式來具顯，仍然不從不學。從這裡，即可見出，周敦頤雖然沒有否認、廢棄文飾的主張，但是卻指出欲以文辭美的形式來傳道的局限性，也就是賢者得以學而至之，然而不賢者仍然不從不學。既然如此，文辭飾言是否有傳道的功能，便令人心生疑惑。這種現象，實爲程顥、程頤二人極力主張「作文害道」的根源。

二程兄弟年輕時均曾受學於周敦頤，因此對於周敦頤所提出的問題—指出欲以文辭飾言來傳道的局限性，便力謀改進之法。《二程全書、遺書一》中載云：

憂子弟之輕俊者，只教以經學念書，不得令作文字。

所謂「輕俊」，亦即「篤實」之反義；欲變輕俊爲篤實，惟有摒棄學文練辭之途而只教以經學念書。換言之，教子弟經學念書，即可成就其篤實之性而進窺道德之門，根本無需文辭飾言來輔助傳道。如此一來，周敦頤所指出的文辭飾言的局限性問題便自然不復存在。不過在此種思考模式中，卻衍生出「作文害道」的極端主張。《二程全書、遺書十八》中，記載程頤回答學者「作文害道否？」之問云：

問：「作文害道否？」曰：「害也。凡爲文不專意則不工，若專意則志局於此，又安能與天地同其大也。書云：『玩物喪志。』爲文亦玩物也。呂與叔有詩云：『學如元凱方成僻，文似相如始類俳；獨立孔門無一事，只輸顏氏得心齋。』此詩甚好。古之學者，惟務養情性，其他則不學。今爲文者，專務章句，悅人耳目，既務悅人，非俳優而何！」曰：「古者學爲文否？」曰：「人見六經，便以爲聖人亦作文，不知聖人亦攄發胸中所蘊，自成文耳。所謂有德者，必有言也。」曰：「游夏稱文學，何也？」曰：「游夏亦何嘗秉筆學爲詞章也，且如觀乎天文以察時變，觀乎人文以化成天下，此豈詞章之文也。」

平心而論，程頤此段「作文害道」的主張，並非完全不能成立。譬如所云「爲文不專意則不工，若專意則志局於此，又安能與天地同其大。」、「今爲文者，專務章句，悅人耳目，既務悅人，非俳優而何！」等言論，實已道盡唐以後純以詩賦工巧與否論人之弊。然而由此衍生出「爲文亦玩物也」的結論，便難以服人。須知文自漢魏以迄於宋，其間作者爲文，固然有專意求工、專務章句如程頤之所言，然而爲文本於情性，非爲悅人耳目，且有不期於工而自然爲工者，亦非少數。譬如古詩十九首之古直悲涼，陶潛之眞淳，杜甫之忠愛等等，推爲「與天地同其大」，絕非過溢之贊。此等道理，原本極爲淺顯，若謂程頤一無所知，實在難以令人相信。然而，程頤何以會有「作文害道」、「爲文亦玩物也」的論點產生？

欲探知此一原委，請先從程頤所誇贊的呂大臨（字與叔）詩「獨立孔門無一事，只輸顏氏得心齋」論起。所謂「心齋」一辭，見於《莊子、人間世》中：

> 回曰：「敢問心齋？」仲尼曰：「若一志，无聽之以耳而聽之以心，无聽之以心而聽之以氣！聽止於耳，心止於符。氣也者，虛而待物者也。唯道集虛。虛者，心齋也。」

此段孔子與顏回之對話，原本乃莊子僞託之寓言，呂大臨之詩即是脫胎於此。莊子原文之意，謂人之耳止於聽、心止於思慮而必與物境相合，凡此皆有所凝滯掛累。因此必須使心如氣一般柔弱虛空，毫無牽累，方能應物而處人間之宜，如是者謂之「心齋」。由此可見，莊子所謂「心齋」，指的是人經由內省冥思所達到的至善境界。呂大臨詩謂「獨立孔門無一事，只輸顏氏得心齋」，即是自言己身涵養內省的功夫，尙未達到隨心所欲，毫無牽累的境界。程頤何以特別誇贊此詩？原來呂大臨這種強調內省體驗的涵養工夫，正是程頤最爲重視的修養方法，其早年所作之〈顏子所好何學論〉中，申論聖人可學而至之法云：

凡學之道，正其心，養其性而已，中正而誠則聖矣。君子之學，必先明諸心，知所養，然後力行以求至，所謂「自明而誠」也。（《二程全書、伊川文集卷四》）

既言爲學之道乃「正其心，養其性」，可見程頤强調的正是個人心靈的內省工夫，此種論點，後來經常在程頤的言論中出現，譬如下列諸例：

致知在格物，格物之理，不若察之於身，其得尤切。（《二程全書、遺書十七》）

學貴於自得，得非外也，故曰自得。（《二程全書、遺書廿五》）

爲學之道，必本於思，思則得之，不思則不得也。（《二程全書、遺書廿五》）

程頤如此强調內省工夫的重要，自然便會誇贊呂大臨之詩而排斥一般的文學作品，程頤曾說明其中原由謂：「學也者，使人求於內也；不求於內而求於外，非聖人之學也。何謂不求於內而求於外？以文爲主者是也。」（《二程全書、遺書廿五》）爲學之道，貴於自得而求於內，因此便認爲文學無用而加以排斥。在這種思考模式中，出現「且如今言能詩無如杜甫，如云：『穿花蛺蝶深深見，點水蜻蜓款款飛。』如此閑言語，道出做甚！」（《二程全書、遺書十八》）的言論，便無足驚怪。

程頤此種强調主觀內省經驗的唯心理論，由於極力排斥作文修辭，因此不免自陷困境。須知六經可以謂爲載道之用，卻不可强詞奪理，謂六經非聖人有意所作之文。程頤爲了避免此項指摘，遂云：「人見六經，便以爲聖人亦作文，不知聖人亦攄發胸中所蘊，自成文耳。」（《二程全書、遺書十八

》）此處所言「作文」，蓋指專意爲文；至於「攄發胸中所蘊，自成文耳」，意指無意爲文。聖人所作，若皆屬無意爲文，則《孟子、滕文公下》所載：「世衰道微，邪說暴行有作；臣弒其君者有之，子弒其父者有之，孔子懼，作春秋。春秋，天子之事也。是故孔子曰：『知我者，其惟春秋乎！罪我者，其惟春秋乎！』」應作何解？人盡知孔子成春秋而亂臣賊子懼，可謂孔子作春秋乃無意爲文乎！

程頤的理論何以出現如此矛盾的現象而不自覺？仔細觀察，便可以發現，程頤在提出理論的同時，已被自身唯古是尙的主張所拘限。程頤唯古是尙的主張有多强烈？且看下列諸例，便可明瞭：

古有教，今無教，以其無教，直壞得人質如此不美。今人比之古人，如將一至惡物，比一至美物。（《二程全書、遺書十七》）

古者家有塾，黨有庠，故人未有不學者。三老坐於里門，出入察其長幼揖讓之序。如今所傳之詩，人人諷誦，莫非止於禮義之言。今人雖白首未嘗知有詩。至於里俗之言，盡不可聞，皆繫其習也。以古所習，安得不善！以今所習，安得不惡！（《二程全書、遺書十七》）

在古有教、今無教，古爲至善、今爲至惡的唯古是尙觀念之下，自然便認爲古之聖人文章乃化工所生，不可學亦不能到。至於聖人何以臻此境界？乃因聖人有德，自然有言。此種觀念一旦形成，當然便直認聖人所作的六經非有意所作之文，而使自身的理論陷入矛盾。儘管如此，程頤此種作文害道的主張，仍然在宋代造成一股巨大的風潮，尤其在朱熹出現後，更是達到最顚峯。

就朱熹的文學思想而言，似乎比二程要來得開明進步，譬如下列諸段文字：

但來書所論平淡二字，誤盡天下詩人，恐非至當之言，而明者亦不復以為非，是則熹所深不識也。夫古人之詩，本豈有意於平淡哉！但對今之狂怪雕鎪，神頭鬼面，則見其平；對今之肥膩腥臊，酸鹹苦澀，則見其淡耳。自有詩之初，以及魏晉，作者非一，而其高處無不出此。（〈答鞏仲至〉、《朱子大全》文六十四）

然余嘗以為天下萬事，皆有一定之法，學之者須循序而漸進。如學詩，則且當以此等為法，庶幾不失古人本分體製，向後若能成就變化，固未易量。然變亦大是難事，果然變而不失其正，則縱橫妙用，何所不可。不幸一失其正，卻似反不若守古本舊法，以終其身之為穩也。（〈跋病翁先生詩〉、《朱子大全》文八十四）

類似此等通達言論，絕非二程所能言、肯言，朱熹於文學批評史上，地位高出二程之上，原因亦在此。然而朱熹此種通達言論，卻並非其文學思想之重心，而僅是早年學道未能專一時所獲的心得而已，其〈答鞏仲至〉文中云：

偶記頃年學道未能專一之時，亦嘗閒考詩之原委，因知古今之詩，凡有三變。蓋自書傳所記，虞夏以來，下及魏晉，自為一等。自晉、宋間顏、謝以後，下及唐初，自為一等。自沈、宋以後，定著律詩，下及今日，又為一等。然自唐初以前，其為詩者固有高下，而法猶未變，至律詩出而後，詩之與法，始皆大變，以至今日，益巧益密而無復古人之風矣。故嘗妄欲抄取經史諸書所載韻語，下及文選漢魏古詞，以盡乎郭景純、陶淵明之所作，自為一編而附于三百篇、楚辭之後，以爲詩之根本準則。又於其下二等之中，擇其近古者，各爲一編，以爲之羽翼與衛。其不合者則悉去之，不使其接於吾之耳目而入於吾之胸次，要使方寸之中，無一字世俗言語意思，則其爲詩，不期於高遠而自高遠矣。然顧爲學之務，有急於此者；亦復自知材力短弱，決不能追古人而與之並，遂悉棄去不能復爲。（《朱子大全》文六十四）

文中指陳古今之詩凡經三變的內涵，堪稱卓識，然而卻因自認「爲學之務，有急於此者」，故而捨棄。到底朱熹所謂「爲學之務」意指爲何？其〈讀唐志〉一文中云：

夫古之聖賢，其文可謂盛矣。然初豈有意學爲如是之文哉！有是實於中，則必有是文於外，如天有是氣，則必有日月星辰之光耀；地有是形，則必有山川草木之行列。聖賢之心既有是精明純粹之實，以旁薄充塞乎其內，則其著見於外者，亦必自然條理分明，光輝發越而不可揜蓋。不必託於言語，著於簡冊，而後謂之文。但自一身接於萬事，凡其語默動靜，人所可得而見者，無所適而非文也。（《朱子大全》文七十）

聖人雖無意爲文，卻因有實於中，自然現文於外。如此一來，朱熹所謂「爲學之務」，當然是以聖賢之心爲標的，追求內在精明純粹之實。於是知道養德便是根本，作文修辭成了枝葉。本固根茂，枝葉自然繁盛，所以「道者，文之根本；文者，道之枝葉。惟其根本乎道，所以發之於文，皆道也。」（《朱子語類》卷一三九〈論文上〉）的主張，正是朱熹文學思想的核心所在。

從這些理論來看，朱熹似乎只是重演二程的論點而已，不過事實並非如此。二程儘管有作文害道的主張，卻甚少用來指名道姓的攻擊當時文人，而只是用以警示學者。換言之，二程提出作文害道的主張，自我戒惕的成分居多。至於朱熹，除了强調「道者，文之根本；文者，道之枝葉。」的理論以外，更以之作爲準繩，大肆臧否當時的文人。譬如以下文字所言：

問：「南豐文如何？」曰：「南豐文卻近質。他初亦只是學爲文，卻因學文，漸見些子道理。故文字依傍道理作，不爲空言。只是關鍵緊要處，也說得寬緩不分明。緣他見處不徹，本無根本工夫，所以如此。但比之東坡，則較質而近理。東坡則華豔處多。」（《朱子語類》卷一三九〈論文上〉）

朱熹在此篇中，直接指出曾鞏爲文所以有不足之處，在於「見處不徹，本無根本工夫」。造成此項缺失之因，起於曾鞏「初亦只是學爲文」，而非從知道養德學起。至於認爲曾鞏之文較東坡所爲較質而近理，原因是曾鞏在學文的過程中，體會出一些道理，所以文字才不會淪爲空言。由此可見，朱熹是用「道者，文之根本」的主張，作爲品評曾鞏、東坡之文的標準。再如：

一日說作文，曰：「不必著意學如此文章，但須明理。理精後，文字自典實。伊川晚年文字，如《易傳》，直是盛得水住！蘇子瞻雖氣豪善作文，終不免疏漏處。（《朱子語類》卷一三九、〈論文上〉）

所謂「理精後，文字自典實。」正是〈讀唐志〉一文中所言「有是實於中，則必有是文於外」之意。朱熹舉程頤所著《易傳》中文字爲例，誇贊其「直是盛得水住」而毫無疏漏處。《易傳》中文字爲何？試舉其卷一解「乾元亨利貞」之文來看：

> 上古聖人始畫八卦，三才之道備矣。因而重之，以盡天下之變。故六畫而成卦，重乾爲乾。乾，天也。天者，天之形體；乾者，天之性情。乾，健也，健而無息之謂乾。夫天專言之，則道也，天且弗違是也。分而言之，則以形體謂之天，以主宰謂之帝，以功用謂之鬼神，以妙用謂之神，以性情謂之乾。乾者，萬物之始，故爲天、爲陽、爲父、爲君，元、亨、利、貞，謂之四德。元者，萬物之始；亨者，萬物之長；利者，萬物之遂，貞者，萬物之成。惟乾坤有此四德，在他卦則隨事而變焉。

此段疏解「乾元亨利貞」之義的文字，可謂極其詳盡且條理分明。然而細觀其內涵，演繹性實大於創作性，條理精詳固然是其優點，由於無有文采，卻也流於枯澀，非爲專研易學者，誰肯耐心一讀！朱熹以程頤此類文字爲最善，顯然將道理闡析精詳，視爲作文的最高境界。至於此種道理的闡析從何而來？朱熹於〈論文〉上有云：「聖人之言坦易明白，因言以明道，正欲使天下後世由此求之。使聖人立言要教人難曉，聖人之經定不作矣！若其義理精奧處，人所未曉，自是其所見未到耳。學者須玩味深思，久之自可見。」（《朱子語類》卷一三九）由此可見，所謂道理的闡析，乃是從聖賢言論中精思默會省悟而得。既然只在聖賢的言論中求道，於是便排斥古文家學文的方法，而認爲不過「欲學古人說話聲響」②而已。基於此種論點，對於當代知名文士的評論便十分嚴厲，其〈論文〉上評歐陽修及蘇軾云：

且如歐陽公初間做〈本論〉，其說已自大段拙了，然猶是一片好文章，有頭尾。……。到得晚年，自做〈六一居士傳〉，宜其所得如何？卻只說有書一千卷，〈集古錄〉一千卷，琴一張，酒一壺，碁一局，與一老人爲六，更不成說話，分明是自納敗闕。如東坡一生讀盡天下書，說無限道理。到得晚年過海，做〈過化峻靈王廟碑〉，引唐肅宗時一尼恍惚升天，見上帝，以寶玉十三枚賜之云，中國有大災，以此鎮之。今此山如此，意其必有寶云云，更不成議論，似喪心人說話。（《朱子語類》卷一三九）

歐陽修的〈六一居士傳〉及東坡的〈過化峻靈王廟碑〉二文內涵，由於非從聖賢言論中精思默會而得，乃是歐、蘇二人縱情想像而成，因而遭受朱熹嚴厲的批評。

朱熹此種理論，對於文學的藝術性發展是極爲不利的。須知文學作品的主要功能，在於宣洩人清，表達出作者心靈中對於宇宙萬物變遷的感興。一旦文學作品被視爲小技而予以摒斥，豈非强欲天下人自錮其性靈而不近人情！這種流弊，到了眞德秀編選《文章正宗》時，更加明顯。〈文章正宗綱目〉言其編選標準云：

正宗云者，以後世文辭之多變，欲學者識其源流之正也。自昔集錄文章者衆矣，若杜預、摯虞諸家，往往堙沒弗傳。今行於世者，惟梁昭明《文選》、姚鉉《文粹》而已。由今眡之，二書所錄，果皆得源流之正乎？夫士之於學，所以窮理而致用也。文雖學之一事，要亦不外乎此。故今所輯，以明義理切世用爲主。其體本乎古，其指近乎經者，然後取焉，否則辭雖工亦不錄。

「其體本乎古，其指近乎經」成爲選編的標準，於是文學的藝術性已完全被摒棄③。文以載道的理論發展至此，可以說到達最極端。

入明之後，此種極端的載道文論，仍然佔有重要地位。譬如明初的宋濂，即曾於〈贈梁建中序〉文中云：

文非學者之所急，昔之聖賢初不暇於學文。措之於身心，見之於事業，秩然而不紊，粲然而可觀者，即所謂文也。其文之明，由其德之立，宏深而正大，則其見於言自然光明而俊偉，此上焉者之事。（《宋文憲公全集》卷二）

此種主張，實爲「有德者必有言」的直接演繹。再如方孝儒於〈與鄭叔度書〉中云：「夫道者，根也；文者，枝也。道者，膏也；文者，焰也。膏不加而焰紓，根不大而枝茂者，未之見也。」（《遜志齋集》卷十）又〈談詩五首〉之三云：「發揮道德乃成文，枝葉何曾離本根。末俗竟工繁縟體，千秋精意與誰論。」（《遜志齋集》卷二十四）諸如以上言論，與周敦頤、二程、朱熹所言，可謂如出一轍。

此種偏狹的載道文學主張，除了扼殺文學的藝術性之外，更大的流弊則是令天下後世因厭絕其文，而排斥、誤解聖賢之學。清人魏禧嘗於〈甘健齋軸園稿序〉中評云：

至於宋明儒者，則又以文章爲玩物喪志而不屑，自二、三大儒外，類取足道其意而止，卑弱膚庸漫衍拘牽之病，隨在而有，讀者不數行輒擲去，或相與揄揶厭薄之，以爲戒。然吾嘗爲之求其理，初無悖於六經，考其生平，不可謂非聖賢之徒，而顧令天下後世厭絕其文，至如饐餲之食、魚肉之餒敗之陳於其前。嗚呼！則亦不文之過也矣。⋯⋯⋯。孔子曰：辭達而已矣。辭之不文，則不足以達意也。而或者以爲不然，則請觀於六經、孔子、孟子之文，其文不文，蓋可覩矣。余愧不能學道，竊謂今天下之志於道者，既心體而躬行之，必達當世之務，以適於用；必工於文章，使其言可法而可傳。（《魏叔子文集》卷八）

此段文字所言，無一不是切中文以載道理論偏狹疏漏之弊。既然流弊如此，何以載道文學主張能夠斷續出現於中國文學理論當中？正如《四庫提要》於《文章正宗》條下所云：「然專執其法以論文，固矯枉過直；兼存其理，以救浮華治蕩之弊，則亦未嘗無裨。」（〈集部、總集類二〉）挽救或限制中國文學作品中出現浮華治蕩之弊的理念，正是形成文以載道主張的最大原動力。

【附註】

①　基於此點，司馬光因而極力反對以辭賦取士，譬如其〈論舉選狀〉中云：「臣竊以取士之道，當以德行爲先。其次經術，其次政事，其次藝能。近世以來，專尙文辭，夫文辭者，乃藝能之一端耳，未足以盡天下之士也。」（《溫國文正公文集》卷十九）又〈起請科場劄〉文中云：「至於以賦詩論策試進士，及其末流，專用律賦格詩取捨過落，摘其落韻、失平側、偏枯不對，蜂腰鶴膝，以進退天下士，不問其賢不肖。雖頑如跖、蹻，苟程試合格，不廢高第；行如

淵、騫，程試不合格，不免黜落，老死衡茅。是致舉人專尚辭華，不根道德，涉獵鈔節，懷挾勦剽，以取科名。詰之以聖人之道，未必皆知。其中或遊處放蕩，容止輕儇，言行醜惡，靡所不至者，不能無之。其爲弊亦極矣。」（《溫國文正公文集》卷五十二）司馬光此種憂慮，其實正是北宋多數儒臣的共同心聲，而「文以載道」、「作文害道」觀念的產生，正是爲了矯正唐代以來，舉人專尚辭華，不根道德的弊害。

② 朱熹此論，見於〈滄洲精舍論學者〉一文，《朱子大全》文七十四。原文內容爲「老蘇自言其初學爲文時，取論語、孟子、韓子，及其他聖賢之文，而兀然端坐終日，以讀之者七、八年。方其始也，入其中而惶然以博，觀於其外而駭然以驚。及其久也，讀之益精而其胸中豁然以明，若人之言固當然者，然猶未敢自出其言也。歷時既久，胸中之言日益多，不能自制，試出而書之，已而再三，讀之渾渾乎覺其來之易矣。予謂老蘇但爲欲學古人說話聲響，極爲細事，乃肯用功如此。故其所就，亦非常人所及。如韓退之、柳子厚輩，亦是如此，其答李翊、韋中立之書，可見其用力處矣。然皆只是要作好文章，令人稱賞而已。究竟何預己事，卻用了許多歲月，費了許多精神，甚可惜也。」

③ 譬如曾參與《文章正宗》編選的劉克莊，即曾於所著《後村詩話》卷一中謂：「《文章正宗》初萌芽，西山先生以詩歌一門，屬余編類，且約以世教民彝爲主。如仙釋、閨情、宮怨之類，皆勿取。余取漢武帝〈秋風詞〉，西山曰：『文中子亦以此詞爲悔心之萌，豈其然乎！』意不欲收，其嚴如此。然所謂『攜（案：應爲「懷」字）佳人兮不能忘』之語，蓋指公卿群臣之扈從者，似非爲後宮設。凡余所取，而西山去之者大半。又增入陶詩甚多，如三謝之類，多不入。」由此可見，眞德秀在編選《文章正宗》之時，根本不將文學的藝術性考慮在內。

第二章　「彩麗競繁而興寄都絕」的提出意義及其影響

「彩麗競繁而興寄都絕」一語，乃唐代陳子昂對齊梁間詩的評語，見於所著〈與東方左史虬修竹篇序〉中，全文如下：

> 東方公足下：文章道弊五百年矣！漢魏風骨，晉宋莫傳，然而文獻有可徵者。僕嘗暇時觀齊梁間詩，彩麗競繁，而興寄都絕，每以永歎。思古人常恐逶迤頹靡，風雅不作，以耿耿也。一昨於解三處見明公〈詠孤桐篇〉，骨氣端翔，音情頓挫，光英朗練，有金石聲。遂用洗心飾視，發揮幽鬱。不圖正始之音，復覩於茲，可使建安作者相視而笑。解君云：「張茂先、何敬祖，東方生與其比肩。」僕以爲知言也。故感歎雅制，作〈修竹詩〉一首，當有知音以傳示之。（《陳拾遺集》卷一）

此段文字，由於重在「風骨」與「興寄」的提倡，故而被視爲首開唐代文學復古的先聲。除此之外，也標示出中國文學中，「言志」與「緣情」兩大傳統的對立分合，在中國文學理論的開展過程中，可謂極具意義。以下便略分三節來予以申論。

第一節　「彩麗」與「興寄」是否抵觸？

自從曹丕於〈典論論文〉中提出「詩賦欲麗」的主張之後，「彩麗」便成爲六朝文學的最大特色。此種重視文學作品形式藻繪的風尚，所以備受後人責難，率多起於重修辭而輕內容，亦即陳子昂所謂的「彩麗競繁而興寄都絕」。問題是：六朝的文論家在倡導「彩麗」修辭時，是否有意忽略對文學作品內容的重視？換言之，「彩麗」與「興寄」的文學風格，是否互相抵觸？欲瞭解其中緣由，請先從陸機的〈文賦〉談起。

陸機於〈文賦〉序中自言創作動機云：

余每觀才士之所作，竊有以得其用心。夫其放言遣辭，良多變矣。妍蚩好惡，可得而言。每自屬文，尤見其情。恆患意不稱物，文不逮意，蓋非知之難，能之難也。故作〈文賦〉以述先士之盛藻，因論作文之利害所由，他日殆可謂曲盡其妙。

文中標示出「意不稱物，文不逮意」，乃當時才士爲文之弊。所謂「意」，亦即「用心」，也就是文人在創作中的構思，此爲陸機〈文賦〉的論述重心。至於「物」，指的是客觀世界的事物；「文」則是指語言文字等媒介。陸機所言「意不稱物，文不逮意」，即謂彼時的文學作品，普遍存有兩大困境

：一、文人在創作過程中，無法將客觀事物完全納入構思中。二、有了構思之後，亦無法運用適當的文字形式來表達。爲了解除這兩大困境，陸機提出了「佇中區以玄覽，頤情志於典墳」的方法。今人張少康詮釋此段文字云：

爲了使作家能深入地進行構思活動，必須要有兩方面的準備，一是精神上的準備，二是學問上的準備。〈文賦〉開宗明義頭兩句：「佇中區以玄覽，頤情志於典墳。」正是講的這兩方面的準備。精神方面的準備是要淨化自己的思想感情，排除主觀與客觀方面的任何干擾，從而使自己心神專一，思慮清明。……從學問上的準備說，則是要全面而深入地學習前人的創作經驗，並努力擴大自己的知識面，具備豐富的學識。（《中國古代文論家評傳》上冊頁一六七，中州古藉出版社一九八八年初版。）

如此詮釋，大體皆符合陸機的原意，不過未能深究「頤情志於典墳」一句的含意，有些美中不足。此句情、志並舉，而且直謂可得自於古代典籍之中，意義頗不尋常。須知所謂典墳，原指三皇、五帝之書，後來被儒家引申爲記載古聖賢言行之書的代稱。此類聖賢典籍所載，全在個人德性的培育以及如何治世，是「言志」而非「緣情」。陸機如此引申，是否有意將原本「言志」的文學傳統，導入「緣情」的表現模式中？

欲瞭解此一問題，須從〈文賦〉中「佇中區以玄覽，頤情志於典墳。」文下所錄的「遵四以嘆逝，瞻萬物而思紛；悲落葉於勁秋，喜柔條於芳春。心懔懔以懷霜，志眇眇而臨雲；詠世德之駿烈，誦先人之清芬。」討論起。此段文字共八句，可分成二段，前段四句「遵四時以嘆逝，瞻萬物而思紛；悲落葉於勁秋，喜柔條於芳春。」顯然意指作家的創作情感，源自於客觀自然景物的引動，是爲「緣情」。後段四句「心懍懍以懷霜，志眇眇而臨雲；詠世德之駿烈，誦先人之清芬。」大意謂作家若心志高潔，又經常誦詠當世有俊德者之盛業，學習前人清美芬芳之品德者，其文品亦自然高潔。此種內涵，顯然接近「言志」的文學傳統。就以上所論的現象而言，至少可以認定陸機在有意抬高「緣情」於文學創作上的地位，希望與「言志」的文學傳統並駕齊驅。這種傾向，在〈文賦〉中隨處可見，譬如下列諸例：

傾群言之瀝液，漱六藝之芳潤，浮天淵以安流，濯下泉而潛浸。

理扶質以立幹，文垂條而結繁。

除了擷取經史百家的精華之外，尙要吸取六藝文辭的內容與形式之美。又爲文除了以理爲本，也要重視修辭的華麗。如果整篇〈文賦〉的論述重點在此，便不會蒙受「先失詩人之旨」的譏評①。然而儘管陸機在〈文賦〉中提倡「緣情」文學觀念之時，不會忽略強調「言志」的文學傳統②；但是由於特別重視爲文時的構思與想像和獨創，自然便偏向巧構形似之言的製作。所以，出現「其爲物也多姿，其爲體也屢遷。其會意也尙巧，其遺言也貴妍。暨音聲之迭代，若五色之相宣。」的意巧辭妍主張，是種必然的現象。爲文着重意巧辭妍，自然會偏向彩麗的修辭，再加上「詩緣情而綺靡，賦體物而瀏亮」理論的推波助瀾，陸機情志並舉的始意，實際上並沒有在當時引起多大的迴響與注意。即使陸機自己的詩作，也只是遵循「緣情」的主張而以彩麗的修辭來表現而已。譬如下列諸例：

> 游客芳春林，春芳傷客心。和風飛清響，鮮雲垂薄陰。蕙草饒淑氣，時鳥多好音。翩翩鳴鳩羽，喈喈倉庚音。幽蘭盈通谷，長秀被高岑。女蘿亦有託，蔓草亦有尋。傷哉客遊士，憂思一何深。目感隨氣草，耳悲詠時禽。寤寐多遠念，緬然若飛沈。願託歸風響，寄言遺所欽。（〈悲哉行〉、《全晉詩》卷三，收於丁福保所編《全漢三國晉南北朝詩》中。）

> 遠游越山川，山川脩且廣。振策陟崇丘，安轡遵平莽。夕息抱影寐，朝徂銜思往。頓轡倚高巖，側聽悲風響。清露墜素輝，明月一何朗。撫枕不能寐，振衣獨長想。（〈赴洛道中作〉二首之一、《全晉詩》卷三）

像這種詩作內容，在傷逝嘆時之外，另帶有絢彩柔媚之意，也就是〈文賦〉中所謂「遵四時以嘆逝，瞻萬物而思紛」情感的展現，但是卻看不出有「心懍懍以懷霜，志眇眇而臨雲」的內容表現。當然，面對此種現象，我們可以解釋成陸機或許不願明白抗拒流行久遠的「言志」文學傳統，因此才會表面情志並舉，實際上從事的則是「緣情」文學觀念的推行。不過，事實恐非如此單純。

一般而言，「言志」的文學傳統重在文學的教化作用，也就是要達成〈詩序〉所謂的「經夫婦、成孝敬、厚人倫、美教化、移風俗」的功能。因此，便會要求文學作品有「興寄」。至於「緣情」的文學觀念由於重在體物，於「悲落葉於勁秋，喜柔條於芳春」的感染中，自然偏向「彩麗」修辭的講求。現在的問題是：「彩麗」的修辭可否同時傳達出有「興寄」的教化思想？

就理論而言，「彩麗」的修辭與「興奇」的思想是可以同時並存的，孔子謂「文質彬彬，然後君子」（《論語、雍也》）的提示，就是一個明證。但是孔子同時又說「君子博學於文，約之以禮，亦可以弗畔矣夫。」（《論語、雍也》）强調文須受禮的約束，才不致於違道。言下之意，似乎對於文有著深刻的戒心。這種現象不禁令人生疑，欲使文學作品同時擁有「彩麗」的修辭與「興寄」的思想，而達到「文質彬彬」的境界，好像存有某種程度的困難。其中原因何在？嘗試解決此一疑惑之前，請先了解下段文字內容所具顯的意義。《禮記、樂記》中有云：

> 人生而靜，天之性也；感於物而動，性之欲也。物至知知，然後好惡形焉。好惡無節於內，知誘於外，不能反躬，天理滅矣。夫物之感人無窮，而人之好惡無節，則是物至而人化物也。人化物也者，滅天理而窮人欲者也。

此段文字重點有五：一、人始生之時未有情欲，天性爲靜。二、人天性雖然爲靜，但始生之後，即逐漸受外物誘感，而漸生情欲之心。三、人心所感之物，會意則喜，不會意則惡，於是情欲之心又分出好惡之情。四、此種好惡之情，不予節制，外在的物欲又不斷的誘導，人的本性則可能消失無形。五、人的本性一旦消失，則可能縱情於貪欲中而不自知。綜觀以上五項內容，正是「性善情惡」的有力宣示。感於物而動的情，由於會孳生好惡之心而污染人的本性，所以必須予以節制或排斥。，因此，物之感人雖然無窮，但是所衍生的情感卻不可以漫無節制的表達。

思考一旦進入上述的模式中，自然會有意地壓抑人的想像力構思力。也就是說人儘管會產生「遵四時以嘆逝，瞻萬物而思紛；悲落葉於勁秋，喜柔條於芳春。」的感物情懷，卻不能任想像及構思自由奔馳而毫無節制。此種思考模式若轉成對文學作品內涵的要求，當然會對任由想像、構思奔馳而形成的彩麗之文，深具戒心。孔子會再三强調文須受禮的約束，原因亦在此。彩麗的修辭（文）既然須受約束而不被鼓勵，興寄的思想（質）的重要性自然便凸顯出來，重質輕文的文學觀念於焉產生。

經由以上討論可以發現，即使在言志的文學傳統中，所謂文質並重、情志並舉的主張，理想的色彩其實是很濃的，眞正要具顯在文學創作中，實在有其衝突抵觸之處。瞭解此中緣由，便可以說明陸機論文雖然情志並舉，實際上推行卻是緣情、體物的文學觀念，其動機除了不願明白抗拒流行久遠的言志文學傳統之外，更重要的是受制於情志並舉文學觀念本身實行的困難性。就陸機創作〈文賦〉的始意而言，無非是想抬高緣情文學觀念的地位而與言志的文學傳統並駕齊驅，原本沒有取而代之的含意。然而緣情、言志兩者之間隱含的衝突性，卻讓陸機在不自覺中，偏向緣情的文學主張中。

這種現象，並非只出現在陸機一人身上。譬如同時的張華於〈勵志詩〉中云：「安心恬蕩，棲志浮雲；體之以質，彪之以文；如彼南畝，力耒既勤；藨蓘致功，必有豐殷。」（《全晉詩》卷二，收於丁福保所編《全漢三國晉南北朝詩》中）在此段文字中，張華以爲「體之以質，彪之以文」，再如同耕田除草般的勤勞奮勉，便能有豐碩的成果，可見張華是以質文並重作爲勵志的最高典範。然而張華的詩作有否達到「體之以質，彪之以文」的理想？雖然翻閱張華存留之詩，也會看到諸如〈壯士篇〉的作品：

天地相震蕩，回薄不知窮。人物稟常格，有始必有終。年時俛仰過，功名宜速崇。壯士懷憤激，安能守虛沖。乘我大宛馬，撫我繁弱弓。長劍橫九野，高冠拂玄穹。慷慨成素霓，嘯吒起清風。震響駭八荒，奮威曜四戎。濯鱗滄海畔，馳騁大漠中。獨步聖明世，四海稱英雄。（《全晉詩》卷二）

但是這類作品內涵，畢竟不是張華詩的主要風格。張華嘗於〈輕薄篇〉中刻意形容末代輕薄、驕代浮華的情狀，詩末作結時則云：「人生若浮寄，年時忽蹉跎。促促朝露期，榮樂遽幾何。念此腸中悲，涕下自滂沱。但畏執法吏，禮防且切磋。」（《全晉詩》卷二）可見張華雖然知道驕奢、浮華的淫靡生活，不爲律法、禮法所容，但是由於人生如寄、榮樂幾何的感慨催逼，因此心中所顧忌者，惟有執法之吏的糾彈，至於禮法則因沒有眞正的約束力，所以便較無顧忌。這種惟畏法吏而無視禮防的人生態度，才是張華創作情感的源泉。舉其〈情詩五首〉爲例：

北方有佳人，端坐鼓鳴琴。終晨撫管絃，日夕不成音。憂來結不解，我思存所欽。君子尋時役，幽妾懷苦心。初爲三載別，於今久滯淫。昔邪生戶牖，庭內自成林。翔鳥鳴翠隅，草蟲相和吟。心悲易感激，俛仰淚流衿。願托晨風翼，束帶侍衣衾。（之一）

明月曜清景，曨光照元墀。幽人守靜夜，迴身入空帷。束帶俟將朝，廓落晨星稀。寐假交精爽，覿我佳人姿。巧笑媚權靨，聯娟眸與眉。寤言增長歎，悽然心獨悲。（之二）

清風動帷簾，晨月燭幽房。佳人處遐遠，蘭室無容光。襟懷擁虛景，輕衾覆空牀。居歡惜夜促

，在感怨宵長。撫枕獨吟歎，綿綿心內傷。（之三）

君居北海陽，妾在南江陰。懸邈極修途，山川阻且深。承歡注隆愛，結分投所欽。銜恩守篤義，萬里託微心。（之四）

游目四野外，逍遙獨延佇。蘭蕙緣清渠，繁華蔭綠渚。佳人不在茲，取此欲誰與。巢居覺風飄，穴處識陰雨。未曾遠別離，安知慕儔侶。（之五）

細讀以上詩作之後，對於鍾嶸在《詩品》中評張華詩云：「其體華艷，興託不奇，巧用文字，務爲妍冶。雖名高曩代，而疏亮之士，猶恨其兒女情多，風雲氣少。」（卷中）必有先得我心之感。足見張華雖然亦有「體之以質，彪之以文」的認知，但是就實際創作而言，由於放縱情感的宣洩舒發而不予節制，因此只達到「彪之以文」的標準而已，諸如「明月曜清景，曨光照元墀」、「巧笑媚權靨，聯娟眸與眉」、「蘭蕙緣清渠，繁華蔭綠渚」等等修辭，絕非「體之以質」的具顯。造成此種現象的原因，仍是緣於彩麗的修辭（文）與興寄的思想（質）同時並存於作品中的困難性。再看潘岳。

潘岳嘗有〈於賈謐坐講漢書〉詩云：「治道在儒，弘儒由人。顯允魯侯，文質彬彬。筆下摛藻，席上敷珍。」（《全晉詩》卷四）可見潘岳亦知文質彬彬乃是爲人、爲文的最高境界。然而在專論文學作品優劣時，仍然偏向彩麗修辭的推重，所謂「筆下摛藻，席上敷珍」之語，針對的只是「文」的部分非「質」。至於潘岳本人的詩作，更非文質並現，而是「爛若舒錦」（鍾嶸《詩品》卷上錄謝混之語）。這種現象，與張華、陸機是如出一轍。

有些研究者指出，出現在六朝文人言論中的「質」，與所謂「興寄」的思想意義不同，譬如廖蔚卿先生於所著《六朝文論》中以爲：「六朝文論以爲文學的主體是情性，所以訴諸作者情緒活動的感情、及意緒活動的思想，就是質，因而質即指文學作品的內涵，或稱情、志、意、理等等。……而非充實內容及表現情志的學問道德，或政教德化的功用。」（詳見台北聯經出版公司六十七年四月初版之《六朝文論》頁三〇～三一）六朝文論以情爲主體的說法，絕對正確，然而由此引申，認爲六朝人以爲「質」僅止於作者情緒及意緒活動的情感、思想表現，而與政教德化完全無關，則頗有商榷之處。以張華而論，其〈勵志詩〉中在提出「體之以質，彪之以文」的主張之前已先云：

吉士思秋，實感物化。日與月與，荏苒代謝。逝者如斯，曾無日夜。嗟爾庶士，胡寧自舍。仁道不遐，德輶如羽。求焉斯至，眾鮮克舉。大猷玄漠，將抽厥緒。先民有作，貽我高矩。

此中所云「仁道不遐，德輶如羽。求焉斯至，眾鮮克舉。」意指仁道及德性並非窒礙難行，端視人之有無進德修業及實施仁道的決心，也就是孔子所謂「我欲仁，斯仁至矣！」（《論語、述而》）之意。除此之外，〈勵志詩〉之末又云：「復禮終朝，天下歸仁。若金受礪，若泥在鈞。進德修業，輝光日新。隰朋仰慕，予亦何人。」充分顯示，張華追慕儒家聖賢那種進德修業，致使天下歸仁的事功。緣此可見，張華所謂「體之以質」，絕非僅止於個人情緒及意緒活動的情感、思想表現而已，實在懷有進德修身之意。至於潘岳在〈於賈謐坐講漢書〉詩中，已先明白指出「治道在儒，弘儒由人。」再引出「顯允魯侯，文質彬彬。」的誇贊，顯然亦就儒家的弘道教化觀點來申論「質」，而非僅指文學作品的內涵而已。

瞭解以上討論的內容之後，便可以理解爲何中國傳統的文學理論中，儘管經常出現文、質並重的說法，但是對於所謂彩麗的修辭，其實並不鼓勵。因此，許多文論表面上提倡的是文、質並重的主張，實際上往往偏向重質而輕文。追究其因，即是起於彩麗修辭與興寄思想並存於文學作品中的困難性。至於倡導並重視彩麗修辭的文人，其始意也並非完全排除興寄思想（質）的重要性，然而卻因彩麗修辭與興寄思想的兩難兼顧，終於使他們的創作偏向彩麗修辭的鍛鍊而忽略了興寄思想的寄寓。由於這個原因，重視彩麗修辭的提倡者，往往成爲後來倡導文學復古者指責的對象。譬如明代謝榛於《四溟詩話》卷一中云：

> 陸機〈文賦〉曰：「詩緣情而綺靡，賦體物而瀏亮。」夫綺靡重六朝之弊，瀏亮非兩漢之體。
> 徐昌穀曰：「詩緣情而綺靡，則陸生之所知，固魏詩之渣穢耳。」

再如清代沈德潛《說詩晬語》卷上中亦云：

> 士衡舊推大家，然通贍自足，而絢綵無力，遂開出排偶一家。降自齊梁，專工隊仗，邊幅復狹，令閱者白日欲臥，未必非陸氏爲之濫觴也。

謝榛及沈德潛此種對陸機指責的方式，正代表著中國文學復古者對於彩麗修辭的一種戒惕態度。至於此種對彩麗修辭戒惕態度的緣起，則是著因於文質並現於文學作品中的困難性，也就是說：彩麗的修辭與興寄的思想在創作過程中，實在存有衝突抵觸之處。

【附註】

①此爲清代沈德潛對於陸機評語，其《說詩晬語》卷上云：「（陸機）所撰文賦云：『詩緣情而綺靡』，言志章教，惟資塗澤，先失詩人之旨。」

②譬如陸機〈文賦〉中在強調「詩緣情而綺靡，賦體物而瀏亮。」之後，還補充說明「雖區分之在茲，亦禁邪而制放。要辭達而理舉，故無取乎冗長。」可見陸機也認爲「禁邪制放」、「辭達理舉」是任何文體都必須遵守的法則，詩、賦當然也不例外。因此，陸機雖然強調緣情的文學觀念，卻也沒有忽略強調言志的文學傳統。

第二節　「言志」文學傳統的再強調

追溯中國「言志」文學傳統的起源，大多研究者都會將目標鎖定在《尙書、堯典》中記載的此段文字：

> 帝曰：夔，命汝典樂，教胄子。直而溫，寬而栗，剛而無虐，簡而無傲、詩言志，歌永言，聲依永，律和聲；八音克諧，無相奪倫，神人以和。

〈堯典〉篇的完成年代，最早也在戰國時代①。因此，所謂「詩言志」云云，至少代表彼時士大夫對於詩功能的看法。單以〈堯典〉篇中的文字而言，帝舜既然命夔典樂，教導胄子，希冀達到「直而溫，寬而栗，剛而無虐，簡而無傲。」的境界，顯然是著重在胄子德性的培養。如果由此線索推測，「

詩言志」中所言之志，必然和進退應對的德性涵養有關。朱自清嘗於〈詩言志辨〉一文中以為「這種志，這種懷抱是與『禮』分不開的，也就是與政治、教化分不開的。」（詳見台北源流出版社七十一年五月出版之《朱自清古典文學論文集》頁一九四）。如果詳細翻閱《左傳》中有關賦詩的記載，便會同意朱自清對於「詩言志」的解釋。舉襄公十六年的記載為例：

晉侯與諸侯宴于溫，使諸大夫舞，曰：「歌詩必類。」齊高厚之詩不類。荀偃怒，且曰：「諸侯有異志矣。」使諸大夫盟高厚，高厚逃歸。於是叔孫豹、晉荀偃、宋向戌、衛甯殖、鄭公孫蠆、小邾之大夫盟，曰：「同討不庭。」

所謂「歌詩必類」，是說古人舞必歌詩，而所歌詠詩的內容，必須與舞蹈的形式動作相配。齊國的高厚由於歌詩的內容與所舞的動作不相配，因而被晉國的荀偃認為有「異志」，後來高厚果然背盟逃約。就高厚而言，所賦之詩，正代表他個人內在潛藏的意圖，這種意圖儘管在平時遮掩得很好，在賦詩時卻不自覺的流露出來。於是，他人便可藉此觀察、得知其真正的懷抱。這種抒發懷抱，是和政治有關。再看襄公三十年有關子產從政一年和三年後，鄭國百姓不同反應的記載：

從政一年，輿人誦之，曰：「取我衣冠而褚之，取我田疇而伍之。孰殺子產，吾其與之。」及三年，又誦之，曰：「我有子弟，子產誨之；我有田疇，子產殖之。子產而死，誰其嗣之？」

鄭國子產執政之初，致力推行新政而向人民課稅，鄭國百姓由於眼光短淺，不能體會子產的苦心，因此輿人誦詩，有欲殺子產之志。三年之後，鄭國人民已經直接領受子產從政的好處，因此輿人誦詩，有頌揚子產長壽之志。鄭國輿人這種前後不同的抒發懷抱，已經完全在反映教化了。

在以上扼要的論述中，已經可以窺見，所謂「詩言志」的意義內涵，在春秋、戰國時期，實與政治和教化的關係密不可分。然而眞正將此種「詩言志」的意義內涵，轉化成中國文學理論中的重要指標則爲〈毛詩序〉。〈毛詩序〉中最重要的部分，在於說明詩的起源、功能和體制的一大段文字，現在迻錄如下：

詩者，志之所之也，在心爲志，發言爲詩。情動於中而形於言，言之不足故嗟嘆之，嗟嘆之不足故詠歌之，詠歌之不足，不知手之舞之，足之蹈之。情發於聲，聲成文爲之音。治世之音安以樂，其政和；亂世之音怨以怒，其政乖；亡國之音哀以思，其民困。故正得失，動天地，感鬼神，莫近於詩。先王以是經夫婦，成孝敬，厚人倫，美教化，移風俗。故詩有義焉：一曰風，二曰賦，三曰比，四曰興，五曰雅，六曰頌。上以風化下，下以風刺上，主文而譎諫，言之者無罪，聞之者足以戒，故曰風。至於王道衰，禮義廢，政教失，國異政，家殊俗，而變風變雅作矣。國史明乎得失之跡，傷人倫之廢，哀刑政之苛，吟詠情性，以風其上，達於事變而懷其舊俗者也。故變風發乎情，止乎禮義。發乎情，民之性也；止乎禮義，先王之澤也。是以一國之事，繫一人之本，謂之風；言天下之事，形四方之風，謂之雅。雅者，正也，言王政之所由廢興也。政有大小，故有小雅焉，有大雅焉。頌者，美盛德之形容，以其成功告於神明者也。

這篇文字，先說「在心爲志，發言爲詩」，再說「情動於中而形於言」，可見正如朱自清所言：「『志』與『情』原可以是同義詞。」（〈詩言志辨〉文中語，見《朱自清古典文學論文集》頁二一〇）但是這種「志」或「情」，絕非指向一般人的喜怒哀樂、榮辱窮通之情，而是反映政治、教化的一種懷抱，所以才會有「先王以是經夫婦，成孝敬，厚人倫，美教化，移風俗。」的結論。至於這種反映政治及教化的懷抱要如何透過詩來表現呢？很簡單，就是「發乎情，止乎禮義。」換言之，在反映政治及教化的懷抱之時，仍然必須受禮義的規範而不得隨意抒發。在這種情況下，對於作詩的內涵已明顯地出現一種規範。至於作詩的目的則在於「明得失之跡，傷人倫之廢，哀刑政之苛，吟詠情性，以風其上。」一般學者在探討此段文字時，多過於推敲「吟詠情性」之義，因而以爲〈毛詩序〉的作者已有「詩緣情」作用的認識。譬如朱自清於〈詩言志辨〉中云：

〈詩大序〉既說了「在心爲志，發言爲詩」，又說「情動於中而形於言」，又說「吟詠情性」；後二語雖可以算是「言志」的同義語，意味究竟不同。〈大序〉的作者似乎看出「言志」一語總關政教，不適用於原是「緣情」的詩，所以轉換一個說法來解釋。（《朱自清古典文學論文集》頁二一六—二一七）

殊不知毛詩序中的「吟詠情性」，仍非作詩者一己哀樂之情的抒發，而是在表達「明得失之迹，傷人倫之廢，哀刑政之苛」的一種懷抱，所以毛詩序接著說「達於事變而懷其舊俗」，孔穎達正義謂：「

作詩者皆曉達於世事之變易，而私懷其舊時之風俗，見時世政事變易舊章，即作詩以舊法誡之，欲使之合於禮義。」這個說法是正確的。因此，「吟詠情性」也者，是作詩者觀察歸納天下人民心之所想而吟詠之，也就是說，「吟詠情性」是詠天下人民的情性而非作詩者一己之情。如曰不然，再看毛詩序這段文字：「是以一國之事，繫一人之本，謂之風。言天下之事，形四方之風，謂之雅。」孔穎達正義解釋謂：

一人者，作詩之人。其作詩者，道己一人之心耳，要所言一人心，乃是一國之心。詩人覽一國之意以爲己心，故一國之事，繫此一人使言之也。但所言者，直是諸侯之政，行風化於一國，故謂之風，以其狹故也。言天下之事，亦謂一人言之。詩人總天下之心，四方風俗，以爲己意而詠歌王政。故作詩道說天下之事，發見四方之風，所言者乃是天子之政，施齊正於天下，故謂之雅，以其廣故也。

由此可見，作詩者雖爲一人，然而詩的內容取義，皆採自一國之事變。如此一來，一人頌美，則舉國皆頌美；一人刺譏，則舉國皆刺譏。明白顯示，詩的功能專在反映政治教化。所以，毛詩序的作者用了「吟詠情性」一詞，絕非有意取代「言志」來適用原是「緣情」的詩。

毛詩序中對於詩的作法及功能的規範，在儒家文化取得主導地位之後，遂成爲中國文學理論中所謂的「言志」文學傳統。這種「言志」文學傳統遭遇第一次的挑戰，大概在漢武帝之時。班固於《漢書、藝文志》中有云：「自孝武立樂府而采歌謠，於是有代、趙之謳，秦、楚之風，皆感於哀樂，緣事而發，亦可以觀風俗，知薄厚云。」（卷三十）既然說明漢武帝立樂府所采歌謠，「皆感於哀樂，緣事而發」，似乎表示武帝所重視的詩歌，已有偏向「緣情」之作的傾向。既是如此，班固又何以加上「亦可以觀風俗，知薄厚」一語？

朱自清的解釋爲「他們雖還不承認『詩緣情』的本身價値，卻已發見了詩的這種作用，並且以爲『王者』可由這種『緣情』的詩『觀風俗，知得失，自考正』。」②這種說法，看似合理，其實仍有疏漏之處。因爲《漢書．禮樂志》中又云：

至武帝定郊祀之禮，祠太一於甘泉，就乾位也；祭后土於汾陰，澤中方丘也。乃立樂府，采詩夜誦，有趙、代、秦、楚之謳。……。是時，河間獻王有雅材，亦以爲治道非禮樂不成，因獻所集雅樂。天子下大樂官，常存肄之，歲時以備數，常御及郊廟皆非雅聲。然詩樂施於後嗣，猶得有所祖述。昔殷周之雅、頌，乃上本有娀、姜原，禼、稷始生，玄王、公劉、古公、大伯、王季、姜女、大任、太姒之德，乃及成湯、文、武受命，武丁、成、康、宣王中興，下及輔佐阿衡、周、召、太公、申伯、召虎、仲山甫之屬，君臣男女有功德者，靡不褒揚。功德既信美矣，褒揚之聲盈乎天地之間，是以光名著於當世，遺譽垂於無窮也。今漢郊廟詩歌，未有祖宗之事，八音調均，又不協於鐘律，而內有掖庭材人，外有上林樂府，皆以鄭聲施於朝廷。（卷二十二）

這段文字中可注意之處有二：一爲河間獻王雖獻所集雅樂於朝廷，武帝卻只存以備數，常御及郊廟皆非雅聲。二爲漢武帝之時，雖內有掖庭材人，外有上林樂府，卻都以鄭聲施於朝廷。詳繹其中文字，班固對於所謂「采詩夜誦，有趙、代、秦、楚之謳。」之事，似乎頗有微言。將此段文字與〈藝文志〉中所載並讀，班固以「皆感於哀樂，緣事而發」來形容武帝所采代、趙之謳和秦、楚之風，似乎不是發現詩歌中的「緣情」作用，而是一種貶詞。至於加上「亦可以觀風俗，知薄厚云。」一句，也並非意謂此類詩歌因表現民俗而得以保存，眞正的原因恐怕是爲武帝的「常御及郊廟皆非雅聲」聊作辯諱。瞭解此中緣由，再看漢哀帝下詔罷樂府官的原因。《漢書、禮樂志》載云：

> 哀帝自爲定陶王時疾之，又性不好音，及即位，下詔曰：「惟世俗奢泰文巧，而鄭衛之聲興。夫奢泰則下不孫而國貧，文巧則趨末背本者眾，鄭衛之聲興則淫辟之化流，而欲黎庶敦朴家給，猶濁其源而求其清流，豈不難哉！孔子不云乎？『放鄭聲，鄭聲淫。』其罷樂府官。（卷二十二）

因此而論，「言志」文學傳統的地位，在西漢時仍舊十分穩固。這種現象，其實是延續到東漢的。譬如班固於〈離騷〉中批評屈原「露才揚己，競乎危國群小之間，以離讒賊。然責數懷王，怨惡椒、蘭，愁神苦思，強非其人，忿懟不容，沈江而死，亦貶絜狂狷景行之士。」（《楚辭》卷一）這種評語，基本上仍是以「言志」文學傳統作爲規範③。

眞正對「言志」文學傳統構成威脅，應屬陸機在〈文賦〉中所提出的「詩緣情而綺靡」一語。正如上節中所言，陸機雖然在提倡「緣情」文學觀念之時，不會忽略「言志」的文學傳統，但是由於〈

文賦〉中特別重視爲文時的構思與想像，自然便偏向巧構形似之言的製作。這種理論內涵提出之際，由於時代政治的紊亂以及戰禍、疫癘的連綿不斷④，逼使士人不得不正視因生死問題所帶來的震憾與悲痛。這種對於自我生命的省思與自覺，遂使追求心靈自由之風逐漸掙脫儒學的規範。如此一來，「言志」文學傳統所賴以爲理論後盾的儒學思想便漸趨式微。蔡英俊在《比興物色與情景交融》一書中已指出：

在這種思潮的衝激下，文學創作也由兩漢所倡言的「以一國之事繫一人之本」這種「以治道興衰爲衡量標準」、「將個人生命附託於社會人事」的觀點，轉向「詩緣情而綺靡」的唯美主義的詩觀：詩歌不在反映客觀的政治得失興廢，而在於發抒作者個人主觀的情意。（此書爲大安出版社出版，頁四十四）

演變至此，「緣情」觀念已經取代「言志」傳統，成爲文學創作的新規範。

這種現象，對中國文學而言，是正、負面影響兼具的。正面的影響如廖蔚卿所云：「緣情」的文學觀念不僅在文學的根源上建立了文學的精神特質即是個人的生命質性的觀念，由此也補充了舊有「言志」說的內涵，擴充了所謂「志」的範疇⑤。負面的影響則是由於作家過度重視一已之情的抒發，致使文學內容流於冶蕩而不自知。爲了配合此種冶蕩的內容，連文學的形式都過求華麗與雕飾。時代的苦難引起士人及時行樂的生命情調是可以理解的，但是及時行樂並不等同於縱情享樂。因爲及時行樂的心態，通常起於對生命無常及人生短暫的無可奈何感，因此展現於作品中，多少尚有一些悲懷人生的情感而不致使作品流於冶蕩。然而縱情享樂的心態則是只求感官的滿足，結果往往沈溺於物欲中而不自知。譬如陸機的〈擬今日良宴會〉詩：

閑夜命懽友，置酒迎風館。齊僮梁甫吟，秦娥張女彈。哀音繞棟宇，遺響入雲漢。四座咸同志，羽觴不可筭。高談一何綺，蔚若朝霞爛。人生無幾何，爲樂常苦晏。譬若伺晨鳥，揚聲當及旦。曷爲恆苦憂，守此貧與賤。（《全晉詩》卷三，收於《全漢三國晉南北朝詩》中。）

由「人生無幾何，爲樂常苦晏」的慨嘆，進而引申成「曷爲恆苦憂，守此貧與賤。」的人生態度，正是「緣情」觀念的最佳印證。但是這種人生幾何，何必苦守貧賤的觀念繼續擴大演變，人生的價值與理想遂只著力於擺脫貧賤而縱情享樂。譬如謝朓有〈贈王主簿〉二首云：

日落窗中坐，紅粧好顏色。舞衣襞未縫，流黃覆不織。蜻蛉草際飛，遊蜂花上食。一遇長相思，願寄連翩翼。

清吹要碧玉，調弦命綠珠。輕歌急綺帶，含笑解羅襦。餘曲詎幾許，高駕且踟躕。徘徊韶景暮，惟有洛城隅。（《全齊詩》卷三）

這種生活型態，正是六朝文人生活的最佳寫照。到了梁朝的簡文帝，以帝王之尊而屢作豔詩，「緣情」觀念的弊端就更加浮現出來。譬如梁簡文帝下列諸作：

佳麗盡關情，風流最有名。約黃能效月，裁金巧作星。粉光勝玉靚，衫薄擬蟬輕。密態隨流臉，嬌歌逐軟聲。朱顏半已醉，微笑隱香屏。（〈美女篇〉、《全梁詩》卷一）

密房寒日晚，落照度窗邊。紅簾遙不隔，輕帷半卷懸。方知纖手製，詎減縫裳妍，龍刀橫膝上，畫尺墮衣前。熨斗金塗色，簪管白牙纏。衣裁合歡攝，文作鴛鴦連。鋮用雙縫縷，絮是八蠶綿。香和麗丘密，麝吐中臺煙。已入琉璃帳，兼雜太華氈。且共雕鑪暖，非同團扇捐。更恐從軍別，空床徒自憐。（〈和徐錄事見內人作臥具〉、《全梁詩》卷二）

楊柳葉纖纖，佳人懶織縑。正衣還向鏡，迎春試捲簾。摘梅多繞樹，覓燕好窺簷。只言逐花草，計較應非嫌。（〈春閨情〉、《全梁詩》卷二）

諸如上類作品，顯然已非「緣情」之作，而屬縱情奢靡之詩。同樣的現象，也見諸於陳後主的作品中，譬如下列諸例：

麗宇芳林對高閣，新粧艷質本傾城。映户凝嬌乍不進，出帷含態笑相迎。妖姬臉似花含露，玉樹流光照後庭。（〈玉樹後庭花〉、《全陳詩》卷一）

亭亭秋月明，團團夕露輕。鳳駕今時度，霓騎此宵迎。疏上采霞動，粉外白雲生。故嬌隔分別，新歡起舊情。含笑不終夜，香風空自停。（〈同管記陸琛七夕五韻〉、《全陳詩》卷一）

晚日落餘暉，宵園翠蓋飛。荷影侵池浪，雲色入山扉。螢光息復起，暗鳥去翻歸。樂極未言醉，杯深猶恨稀。（〈晚宴文思殿〉《全陳詩》卷一）

看完以上諸例之後，便可以同意隋代李諤在〈上隋高帝革文華書〉中所指責的內容：「江左齊梁，其弊彌甚，貴賤賢愚，唯務吟詠。遂復遺理存異，尋虛逐微，競一韻之奇，爭一字之巧。連篇累牘，不出月露之形；積案盈箱，唯是風雲之狀。世俗以此相高，朝廷據茲擢士。祿利之路既開，愛尚之情愈篤。」（《隋書》卷六十六〈李諤傳〉）「緣情」文學觀念的推衍，竟然出現這種弊病，絕非陸機之始意。

入隋進唐之後，隨著政治的統一安定，形成「緣情」文學觀念的思想後盾—因戰禍、政爭而衍生的生死問題所引起的震痛，亦逐漸淡化與消失。相對地，儒學的地位便逐漸崇高起來。我們只要看唐太宗詔令孔穎達主修《五經正義》用以刊正天下一事，就明瞭儒學又重新取得社會規範的地位。在這種風潮中，「言志」的文學傳統又回復主導文學創作的地位。且看《唐會要》六十五所記：

貞觀七年，上謂侍臣曰：「……。朕嘗戲作艷詩。」世南進表諫曰：「聖作雖工，體制非雅。上之所好，下必隨之。此文一行，恐致風靡，輕薄成俗，非爲國之利。」

類似的記載，又見於宋朝尤袤所編著的《全唐詩話》卷一中：

（太宗）帝嘗作宮體詩，使虞世南賡和，世南曰：「聖作誠工，然體非雅正。上有所好，下必有甚焉。恐此詩一傳，天下風靡，不敢奉詔。」帝曰：「朕試卿爾。」

雖然以現存的唐太宗和虞世南詩來看，仍然未能跳脫六朝緣情之作的窠臼，但是經由《唐會要》及《全唐詩話》中的兩段文字記載，明顯可以見出，「言志」文學傳統的規範，已輕再度對文學創作產生某種程度的約束力。不過唐代初期的文人，對於「言志」文學傳統的認知，多屬能言而未必能行者，所以眞正恢復並再確定「言志」文學傳統地位者，必推陳子昂。

陳子昂於中國文學復古風氣中的地位所以重要，即在於他不僅有「僕嘗暇時觀齊梁間詩，彩麗競繁而興寄都絕，每以永嘆。思古人常恐逶迤頹靡，風雅不作，以耿耿也。」（〈與東方左史虬修竹篇序〉、《陳拾遺集》卷一）的見識，而且能在詩歌創作中予以實踐。其所作〈感遇〉三十八首詩，借古喻今，充滿興寄之情，實已脫出六朝「緣情」之作的窠臼，試舉二首如下：

吾觀崑崙化，日月淪洞溟。精魄相交會，天壤以羅生。仲尼推太極，老聃貴窅冥。西方金仙子，崇義乃無明。空色皆寂滅，緣業亦何成。名教信紛藉，死生俱未停。（〈感遇〉之八）

聖人不利己，憂濟在元元。黃屋非堯意，瑤臺安可論。吾聞西方化，清淨道彌敦。奈何窮金玉，雕刻以爲尊。雲構山林盡，瑤圖珠翠煩。鬼功尚未可，人力安能存。夸愚適增累，矜智道愈昏。（〈感遇〉之十九）

細觀上述二詩內容，顯然意在諷諭當時舉國上下佞佛的不當。這種表現手法，已無「緣情」彩麗的色彩，而回歸到「言志」的教化功能。再看以下二例：

臨岐泣世道，天命良悠悠。昔日殷王子，玉馬遂朝周。寶鼎淪伊穀，瑤臺成古丘。西山傷遺老，東陵有故侯。（〈感遇〉之十四）

荒哉穆天子，好與白雲期。宮女多怨曠，層城閉蛾眉。日耽瑤臺樂，豈傷桃李時。青苔空萎絕，白髮生羅帷。（〈感遇〉之二十六）

詳繹以上二詩含意，似乎對武后代唐一事，頗有微辭⑥，而這種含蘊感諷的寫作技巧，正是「言志」

文學傳統的特色。杜甫有〈陳拾遺故宅〉詩云：「拾遺平昔居，大屋尚修椽。悠揚荒山日，慘澹故園煙。位下曷足傷，所貴者聖賢。有才繼騷雅，哲匠不比肩。公生揚馬後，名與日月懸。同遊英俊人，多秉輔佐權。彥昭超玉價，郭振起通泉。到今素壁滑，洒翰銀鈎連。盛事會一時，此堂豈千年。終古立忠義，感遇有餘篇。」（朱鶴齡注《杜工部詩集》卷九）杜甫在此詩中，以「有才繼騷雅，哲匠不比肩。公生揚馬後，名與日月懸。」來推崇陳子昂，原因亦在於認定陳子昂「終古立忠義，感遇有餘篇。」朱鶴齡於詩句下按云：「感遇詩多感歎武后革命事，寓旨神仙，故公以忠義稱之。」可見杜甫看重陳子昂之處，即植因於陳子昂在〈感遇〉詩中，再度顯示「言志」文學傳統的教化功能。杜甫之後，韓愈也於〈薦士〉詩中云：「齊梁及陳隋，眾作等蟬噪。搜春摘花卉，沿襲傷剽盜。國朝盛文章，子昂始高蹈。」（錢仲聯著《昌黎詩繫年集釋》卷五）這種推贊，也是針對陳子昂揚棄六朝以來「詩緣情而綺靡」的作法，回復强調「言志」文學傳統而作的結論。

如果仔細觀察，便可以發現，自從陳子昂提出齊梁間詩「彩麗競繁而興寄都絕」的流弊，並以實際創作來謀求改善之後，講求教化功能的「言志」文學傳統，再也沒有如六朝時一樣，完全爲「緣情」的文學觀念所取代。甚至詩如李杜，都曾因作品不全爲教化而作，遭致批評，譬如白居易於〈與元九書〉中云：

又詩之豪者，世稱李、杜。李之作，才矣奇矣，人不逮矣，索其風雅比興，十無一焉。杜詩最多，可傳者千餘首，至於貫穿今古，覼縷格律，盡工盡善，又過於李。然撮其〈新安吏〉、

〈石壕吏〉、〈潼關吏〉、〈塞蘆子〉、〈留花門〉之章，「朱門酒肉臭，路有凍死骨」之句，亦不過三、四十首。杜尚如此，況不逮杜者。（《白氏長慶集》卷四十五）

李、杜尚且蒙受如此批評，他人可想而知。因此而論，陳子昂對於「言志」文學傳統的再强調，於中國文學復古風氣而言，可說意義十分重大。

【附注】

① 此處據屈萬里於《尙書集釋》中的考訂，此書爲台北聯經出版社七十二年二月出版。

② 持這種說法的人，以朱自清爲主，詳見其〈詩言志辨〉一文，載於《朱自清古典文學論集》頁二一六——二一七。又呂正惠於《抒情傳統與政治現實》一書頁二十四，亦引用朱自清的說法，認爲〈毛詩序〉及班固已經知道政治的情志和一般的哀樂頗有差別，明顯的想要加以調和，此書爲大安出版社七十八年九月初版。

③ 王逸雖然在〈楚辭章句序〉中，極力地爲屈原辯護，認爲班固對屈原的批評是「殆失厥中」。不過，班固批評屈原，是以儒家的經義思想爲依據，而王逸爲了反駁班固，不惜說「離騷之文，依託五經以立義焉。」然後將〈離騷〉中的句子，逐一比擬爲《詩經》、《尙書》中的句子。此種反駁的方法，正可以看出，以儒家文化思想爲主的「言志」文學傳統，在當代所具的重要規範性。

④ 羅宏曾於《魏晉南北朝文化史》頁十——十一中有云：「在這一歷史時期裏，戰爭與動亂給社會和人民帶來的禍害是顯而易見的。其中影響比較大的有以下幾次。其一，自漢獻帝永漢元年（一八九）董卓之亂起，至董卓被殺以後的幾年

間，豪强割據，互相攻伐，歲無寧日。……。其二，自晉永平元年（二九一）賈后之亂和八王之亂發生後的十六年間，由皇室內部骨肉相殘殺發展爲中原北國地區大混亂。……。其三，自晉永嘉元年（三〇七）開始的六年間，匈奴貴族的鐵騎橫行於洛陽、長安一帶。洛陽宮殿官府變成一片廢墟，王公士民被殺達三萬多人。劉曜退出長安時，驅掠關中男女八萬餘口退往平陽。這就是歷史上的永嘉之亂。及至建興四年（三一六），劉曜再次攻入關中，長安城破，晉亡。長安被圍時，『米斗，金二兩，人相食，死者太半。』（《晉書、愍帝紀》）其四，自梁太清二年（五四八）侯景叛亂後的五年中，經濟破壞嚴重。建康台城被圍時，城內有男女十餘萬，甲士二萬，米四十萬斛，被圍達四個半月。城破時，生存的只有二、三千人。」由此可以窺見，魏晉南北朝之時，那種戰禍連綿之慘有多麼可怕。羅宏曾此書爲四川人民出版社一九八九年八月一版。

⑤ 詳見廖蔚卿所著〈從文學現象與文學思想的關係談六朝巧構形似之言的詩〉一文，收於中外文學月刊社六十五年五月印行之「中國古典文學論叢」冊一詩歌之部，頁六十九。

⑥ 雖然後人對陳子昂曾上書武后，請興明堂、太學事，頗有微辭，以爲「薦圭璧於房闥，以脂澤汙漫之。」（詳見宋祁〈新唐書傳贊〉）又舉其〈大周受命頌〉四章、進表一篇、〈請追上太原王帝號表一篇〉，以爲「視〈劇秦美新〉，殆又過之，其下筆時，不復知世有節義廉恥事。」（詳見王士禎《香祖筆記》）不過這些疵議，亦有爲陳子昂翻案辯護者，明代的邵廉於〈陳拾遺原序〉中有云：「請建明堂以調天和，興太學以敦人倫。……。此其志，固狄仁傑儔也。史臣病其〈上周頌〉以媚武氏，其辭指固含蓄。漢揚子雲處莽朝作〈美新〉文，南豐曾子解之略曰：『雄遭莽際，仕非爲祿，生非避死，辱於莽而就之，似明夷箕子。〈美新〉遜言，蓋所不得已，視辱仕莽輕矣。若以爲病，則箕不

當爲囚奴，孔子不當見南子也。王臨川亦云然。』夫以子雲、伯玉較之，〈感遇〉之旨激，伯玉所有，雄所無也。敦人倫、召天和、招諫引賢、安宗子之疏切，伯玉所有，雄所無也。獨恬於利祿，雄有之，伯玉有之，而王、曾二子猶然引箕子、孔子以明其概。文士口聽耳食，何敢望王、曾，又焉得抨擊伯玉也。」（收於四庫本《陳拾遺集》前）所以陳子昂的〈感遇〉詩，仍然有可能對武后代唐一事寄寓微辭。

第三節 輕「賦」而重「比興」

「賦」與「比」、「興」在被提出之始，是與「風」、「雅」、「頌」並列，並無孰輕孰重的問題。《周禮、春官、大師》中載云：

> 大師掌六律六同，以合陰陽之聲。……。教六詩：曰風，曰賦，曰比，曰興，曰雅，曰頌。以六德爲之本，以六律爲之音。①

「風」、「雅」、「頌」爲詩之體，已爲學者公認，且與本文無關，留置不論。至於「賦」、「比」、「興」的意義，鄭玄的解釋爲：

> 賦之言鋪，直鋪陳今之政教善惡；比，見今之失，不敢斥言，取比類以言之；興，見今之美，嫌於媚諛，取善惡以喻勸之。

由鄭玄解釋的內容來看，「賦」、「比」、「興」原來只是依作詩方法的不同而命名，並無孰輕孰重的差別。不過由於「賦」的作法，强調直鋪其事，爲了凸顯內容，不免流於眩曜文辭，是以揚雄《法言、吾子》中已有不滿之言：

或問：吾子少而好賦？曰：然，童子雕蟲篆刻。俄而曰：壯夫不爲也。或曰：賦可以諷乎？曰諷乎？諷乎！諷則已；不已，吾恐不免於勸也。或問：景差、唐勒、宋玉、枚乘之賦也益乎？曰：必也淫。淫則奈何？曰：詩人之賦麗以則，辭人之賦麗以淫。如孔氏之門用賦也，則賈誼升堂，相如入室矣；如其不用何？（《法言》卷二）

揚雄指出「淫」乃「賦」的最大缺點。所謂「淫」，即是煩濫放蕩之意。「賦」而流於此弊，已非原本「直鋪陳今之政教善惡」的本意。是以揚雄之後，對「賦」作不滿之聲迭起。譬如王充於《論衡》中批評說：

以敏於賦頌，爲弘麗之文爲賢乎？則夫司馬長卿、揚子雲是也。文麗而務巨，言眇而趨深，然而不能處定是非，辯然否之實。雖文如錦繡，深如河漢，民不覺知是非之分，無益於彌爲崇實之化。（〈定賢篇〉）

王符於《潛夫論》中亦云：

詩賦者，所以頌善醜之德，洩哀樂之情也。故溫雅以廣文，興喻以盡意。今賦頌之徒，苟爲饒辯屈蹇之辭，競陳誣罔無然之事，以索見怪於世。愚夫戇士，從而奇之，此悖孩童之思，而長不誠之言者也。（〈務本〉）

這些評語，雖然是針對漢賦而發的，但是也直指「賦」作的缺失流弊。換言之，「賦」的作法由於強調平鋪直述，爲文者引而申之，觸類而長之，很容易走上言過於實，辭必盡麗的現象。進入魏晉南北朝之後，在曹丕「詩賦欲麗」（〈典論論文〉、《文選》卷五十二）及陸機「賦體物而瀏亮」（〈文賦〉、《文選》卷十七）的大力鼓吹下，揚雄、王充和王符的呼聲迅即被淹沒，原本屬於漢賦寫作特色的窮極物態、辭必盡麗的方式，衍成六朝文學作品的規範。

相對於「賦」作的發展，「比」與「興」的寫作方式，由於在表達詩人內心情懷之時，有重視迂迴婉轉表現的共通性，所以便逐漸爲學者連用而結合，形成一個新的批評術語②。譬如鍾嶸在〈詩品序〉中云：

> 故詩有三義焉：一曰興，二曰比，三曰賦。文已盡而意有餘，興也；因物喻志，比也；直書其事，寓言寫物，賦也。宏斯三義，酌而用之，幹之以風力，潤之以丹彩，使味之者無極，聞之者動心，是詩之至也。若專用比興，患在意深，意深則詞躓。若但用賦體，患在意浮，意浮則文散，嬉成流移，文無止泊，有蕪漫之累矣。

鍾嶸雖然先就詩有三義來分別詮釋賦、比、興的大意，但是在評論其間的優劣時，已不自覺地將「比興」與「賦」分爲二類來立論。就鍾嶸的主張而言，似乎專用「比興」與專用「賦」體，都各有缺陷。但若仔細體會鍾嶸指出的缺點來比較，「但用賦體」的缺點似乎比「專用比興」來得更嚴重。因爲「專用比興」固然會有意深詞躓的缺失，卻不會使文學作品失去「滋味」。至於「但用賦體」衍生的

「意浮則文散，嬉成流移，文無止泊，有蕪漫之累」，將使文學作品流於無味。因此，就强調「滋味」說的鍾嶸而言，「比興」的地位已經高於「賦」。

值得注意的是，鍾嶸在解釋「比興」含義之時，僅謂爲「因物喩志」、「文已盡而意有餘」而已，與鄭玄所謂的「比，見今之失，不敢斥言，取比類以言之；興，見今之美，嫌於媚諛，取善惡以喩勸之。」含義似乎有所不同，因而蔡英俊認爲：

> 從這段文字，我們可以尋出鍾嶸立論的方向：談論詩歌，已完全否棄政治教化的理論取向，而專從語言表現所顯示的藝術效果來彰明詩歌的功能，終於使得原屬「經學」傳統中的「賦」、「比」、「興」的內容與意義，轉屬於「講求詩歌構造方法」的「詩學」範疇。（《比興、物色與情景交融》頁一三〇—一三一，此書爲台北大安出版社印行。）

這種說法，雖然頗有見地，卻不無商榷之處。蓋鍾嶸重視詩歌的藝術功能是事實，不爲儒家政治教化的文學理論拘限亦是實情，但是謂其「完全否棄政治教化的理論取向，而專從語言表現所顯示的藝術效果來彰明詩歌的功能。」，恐怕值得討論。因爲《詩品》卷上評阮籍有云：

> 其源出於小雅，無雕蟲之功，而詠懷之作，可以陶性靈，發幽思。言在耳目之內，情寄八荒之表，洋洋乎會於風雅，使人忘其鄙近。自致遠大，頗多感慨之詞。厥旨淵放，歸趣難求。顏延年注解，怯言其志。

此段文字中，除了對於阮籍詠懷之作極力誇贊之外，並且說明詠懷詩的寫作特色爲：「自致遠大，頗多感慨之詞。厥旨淵放，歸趣難求。顏延年注解，怯言其志。」所謂「厥旨淵放，歸趣難求」即是意謂阮籍的詠懷之作，寄託遙深而不易領略。至於鍾嶸何以又云：「顏延年注解，怯言其志。」《文選》卷二十三所收阮籍詠懷十七首之一下引顏延年注云：

嗣宗身仕亂朝，常恐罹謗遇禍，因茲發詠，故每有憂生之嗟。雖志在刺譏，而文多隱避，百代之下，難以情測。故粗明大意，略其幽旨。

顏延年既知阮籍詠懷之作，乃「志在刺譏」，可見是承認阮籍此類作品仍與政治教化相關。指出阮籍「常恐罹謗遇禍」，故而「文多隱避」，雖然是說阮籍爲的是保身全生，但是與「見今之失，不敢斥言」，實亦有相似處。但是在注解之時，仍然只是「粗明大意，略其幽旨。」這種現象，正是鍾嶸所謂「顏延年注解，怯言其志。」的主因③。鍾嶸既然批評顏延年注解阮籍詠懷詩「怯言其志」，可見對阮籍「志在刺譏」的詠懷詩，抱持欣賞與肯定的態度。《詩品》將阮籍列於上品，正可以說明鍾嶸並未完全否棄政治教化的理論。再看《詩品》卷中對應璩的評語：

祖襲魏文，善爲古語。指事殷勤，雅意深篤，得詩人激刺之旨。

鍾嶸何以謂應璩詩「得詩人激刺之旨」？《文選》卷二十一收應璩〈百一詩〉題下注云：

張方賢《楚國先賢傳》曰：「汝南應休璉作百一篇詩，譏切時事，徧以示在事者，咸皆怪愕，或以爲應焚棄之，何晏獨無怪也。」然方賢之意，以有百一篇，故曰百一。李充《翰林論》曰：「應休璉五言詩百數十篇，以風規治道，蓋有詩人之旨焉。」又孫盛《晉陽秋》曰：「應璩作五言詩百三十篇，言時事頗有補益，世多傳之。」

據此可見，應璩詩所以受時人重視，正因寓有政治教化的功能。所謂「譏切時事」、「風規治道」云云，即是透過儒家傳統的「比興」法來予以表現。鍾嶸謂應璩「得詩人激刺之旨」，與上述意義完全相同。由此可知，鍾嶸論詩，實無完全否棄傳統比興的意義及功能。

不過鍾嶸論詩，雖無完全否棄傳統比興的意義及功能，但是在解釋「比興」含義時，顯然有意將原有的政治教化意義及功能擴大。所以〈詩品序〉才會有如此的言論：

嘉會寄詩以親，離群託詩以怨。至於楚臣去境，漢妾辭宮；或骨橫朔野，或魂逐飛蓬；或負戈外戍，殺氣雄邊。塞客衣單，孀閨淚盡。或士有解佩出朝，一去忘反。女有揚蛾入寵，再盼傾國。凡斯種種，感蕩心靈，非陳詩何以展其義？非長歌何以騁其情？故曰：「詩可以群，可以怨。」

在這段文字中，「詩可以群，可以怨。」的意義，已由詩有互相感化及怨刺上政的作用，擴展成個人情感榮辱窮通的寄託。鍾嶸如此引申，顯然是爲了配合他自己對於「比興」的詮釋：「因物喻志」、「文已盡而意有餘」而作，目的則在於突破「比興」的政治教化意義範疇。在這種情況下，蔡英俊認爲「比興」已蘊有兩層意義的論點，是可以同意的：

就諷諭寄託一層看，「比興」是從詩歌與政治、社會的關係來考慮詩人的創作意圖與詩歌的效用；而就興會感發一層看，「比興」是就詩歌與情感表現、作者與讀者的美感經驗的關係來

衡量詩歌的藝術效果與美學價值。（《比興、物色與情景交融》頁一五五，台北大安出社印行）

不過鍾嶸雖將「比興」的意義擴大，且用以論詩之時，同樣高於「賦」體。譬如《詩品》卷中評張華詩云：「其體華艷，興託不奇。巧用文字，務爲妍冶。雖名高曩代，而疏亮之士，猶恨其兒女情多，風雲氣少。」所謂「興託不奇」，即是批評張華的詩作，沒有在個人情感的寄託上多加構思鍛鍊，既無「因物喻志」，亦無「文已盡而意有餘」的滋味。至於「巧用文字，務爲妍冶」，更是指責張華工於「賦」體之弊。但是就鍾嶸而言，並沒有完全輕視「賦」體之意；張華所以遭受指責，並非由於「巧用文字」，而是因爲「務爲妍冶」所造成的「兒女情多，風雲氣少」。《詩品》卷上評陸機詩云：「才高詞贍，舉體華美。」評張協詩云：「巧構形似之言，雄於潘岳，靡於太沖。」都是鍾嶸無有輕視「賦」體的明證。這種現象，大概只能歸因於彼時文學風尙使然。於是，鍾嶸雖然指出詩中「比興」的地位高於「賦」，但是並沒有走上反對華麗修辭，輕「賦」而重「比興」的復古之路。眞正提出輕「賦」而重「比興」的觀念，並在日後中國文學復古理論中產生鉅大影響的，仍是陳子昂。

陳子昂在〈與東方左史虬修竹篇序〉中，先是慨嘆「漢魏風骨，晉宋莫傳」，再批評齊梁間詩「彩麗競繁，而興寄都絕」。透過如此的對比，「漢魏風骨」所以被陳子昂重視之因，即在於有「興寄」。至於陳子昂此處所謂的「興寄」意指爲何？郭紹虞的《中國文學批評史》直接說：「興寄也就是昔人所謂『比興』」（台北文匯堂印行本頁九十九）。蔡英俊則謂：「而他所謂的『興寄』，又顯然是看重詩歌創作中情感的要素與諷諭寄託的內涵。」（《比興物色與情景交融》頁一六〇）這些推論，誠然具有卓識，唯一的遺憾是未能檢齊足夠明確的文獻資料，來予以證明。陳子昂另於〈喜馬參軍相遇醉歌序〉中有云：「夫詩可以比興，不言曷著。」（《陳伯玉文集》卷七）這裏的「比興」，是否即爲〈修竹篇序〉中所言的「興寄」？如果是的話，又要如何證明？請先詳看陳子昂〈觀荊玉篇〉前的自序：

丙戌歲，余從左補闕喬公北征。夏四月，軍幕次于張掖河，河洲草木無他異者，惟有仙人仗，往往藂生，幽朔地寒，與中國稍異。余家世好服食，昔嘗餌之。及此役也已息，意茲味，戍人有薦嘉蔬者，此物焉。余驪然而笑曰：「始者與此君別，不圖至是而見之，豈非神明嘉惠，欲將扶吾壽也。」因爲喬公昌言其能，時東萊王仲烈亦同旅，聞而大喜，甘心食之，已旬有五日矣。適有行人，自謂能知藥者，謂喬公曰：「此白棘也，公何謬哉！」仲烈愕然而疑，亦曰：「吾怪其味甘，今果如此。」喬公信是言，乃譏余，作〈採玉篇〉，謂宋人不識玉而寶珉石也。余心知必是，猶以獨見之故，被奪於眾人，乃喟然嘆曰：「嗟乎！人之大明者，目也；心之至信者，口也。夫目照五色，口分五味，玄黃甘苦，亦可斷而不惑矣！而路旁一議，二子增疑，況君臣之際，朋友之間乎！自是而觀，則萬物之情可見也。」感〈采玉詠〉，作〈觀玉篇〉以答之，幷示仲烈，譏其失眞也。（《陳拾遺集》卷一）

陳子昂於此篇序文中，明白指出〈觀荊玉篇〉詩寫作的動機：仙人杖以獨見之故，被奪於眾人，路旁行人一議，陳子昂反而見疑於二位友人。由此引申，君臣之際及朋友之間，欲維繫誠信而不爲讒言所欺的困難性。〈觀荊玉篇〉全詩如下：

> 鴟夷雙白玉，此玉有淄磷。懸之千金價，舉世莫知眞。丹青非異色，輕重有殊倫。勿信玉工言，徒悲荊國人。

詩中透過「舉世莫知眞」的荊玉，來比喻獨見而被奪於眾人的仙人杖，並以「勿信玉工言，徒悲荊國人」作結，帶出諷諭教化的含意，正與序文所言相合。如此看來，陳子昂此首〈觀荊玉篇〉詩中所蘊含的創作理念，應是屬於重視諷諭雅正的「比興」。接下來討論〈與東方左史虬修竹篇〉詩所標示的創作理念。

〈修竹篇序〉雖然沒有像〈觀荊玉篇序〉一樣，明白點出創作的動機，但是先言「齊梁間詩，彩麗競繁，而興寄都絕」，再云「感嘆雅製，作修竹詩一首，當有知音以傳示之。」可見〈修竹篇〉的創作重點，便是在詩中含蘊「興寄」。〈修竹篇〉如何含蘊「興寄」？請看全詩：

> 龍種生南嶽，孤翠鬱亭亭。峰頂上崇崒，煙雨下微冥。夜聞鼯鼠叫，晝聒泉壑聲。春風正淡蕩，白露已清泠。哀響激金奏，密色滋玉英。歲寒霜雪苦，含彩獨青青。豈不厭凝冽，羞比春木榮。春木有榮歇，此節無凋零。始願與金石，終古保堅貞。不意伶倫子，吹之學鳳鳴。遂偶雲龢瑟，張樂奏天庭。妙曲方千變，簫韶亦九成。信蒙雕斲美，常願事仙靈。驅馳翠虬駕，伊鬱紫鸞笙。結交嬴臺女，吟弄昇天行。攜手登白日，遠遊戲赤城。低昂玄鶴舞，斷續綵雲生。永隨眾仙去，三山遊玉京。（《陳拾遺集》卷一）

詩中先以「豈不厭凝冽，羞比春木榮」來點出修竹的堅貞苦節，非是春木的榮歇興衰可以比擬。再以「信蒙雕斲美，常願事仙靈」來比喻修竹的不願落入塵俗中。至修竹的這些特性，其實正是陳子昂胸中志節的象徵，這便是陳子昂在〈修竹篇〉中蘊含的「興寄」。如此看來，〈修竹篇序〉中所言的「興寄」，與〈觀荊玉篇〉中所呈現的「比興」，應屬同一個意義範疇，也就是蘊含諷諭雅正的創作理念。

鼇清說明了陳子昂提出的「興寄」，同等於傳統强調諷諭雅正的「比興」之後，所謂「彩麗競繁而興寄都絕」一語，實即爲陳子昂重「比興」而輕「賦」的正式宣言。自此而後，這種論點便成爲中國文學復古理論的重要內涵。譬如柳冕於〈謝杜相公論房杜二相書〉中云：

且今之文章與古之文章立意異矣！何則？古之作者，因治亂而感哀樂，因哀樂而爲詠歌，因詠歌而成比興。故大雅作則王道盛矣，小雅作則王道缺矣，雅變風則王道衰矣，詩不作則王澤竭矣。至於屈宋哀而以思，流而不反，皆亡國之音也。至於西漢揚馬以降，置其盛明之代，而習亡國之音，所失豈不大哉。然而武帝聞子虛之賦，歎曰：嗟乎！朕不得與此人同時。故武帝好神仙，相如爲大人賦以諷之，讀之飄飄然，反有凌雲之志。子雲非之曰：諷則諷矣，吾恐不免於勸也。子雲知之，不能行之。於是風雅之文變爲形似，比興之體變爲飛動，詩之六義盡矣。（《全唐文》卷五二七）

「比興」之體的亡失，變爲巧構形似的「賦」體，被柳冕視爲六義衰亡、王道缺竭的主因。基於此項觀點，所以在〈與徐給事論文書〉中便云：「自屈宋以降，爲文者本於哀艷，務於恢誕，亡於比興，失古義矣。雖揚馬形似，曹劉骨氣，潘陸藻麗，文多用寡，則是一技，君子不爲也。」（《全唐文》卷五二七）由於特重蘊含諷諭雅正的「比興」，遂連「揚馬形似，曹劉骨氣，潘陸藻麗」等文體的特色都因「文多用寡」，而一併認爲「君子不爲」。這種輕「賦」而重「比興」的論點，正是後來白居易於〈與元九書〉中，特重風雅比興的理論先鋒。

這種重「比興」而輕「賦」的觀點，入宋之後，雖因宋詩的追求自然、平淡風格而稍稍沈寂，但是並沒有遭受忽略。譬如葉夢得於《石林詩話》卷上云：

> 杜子美〈病柏〉、〈病橘〉、〈枯椶〉、〈枯楠〉四詩，皆興當時事。〈病柏〉當爲明皇作，與〈杜鵑行〉同意。〈枯椶〉比民之殘困，則其篇中自言矣。〈枯楠〉云：「猶含棟梁具，無復霄漢志。」當爲房次律之徒作。惟〈病橘〉始言「惜哉結實小，酸澀如棠梨。」末以比荔枝勞民，疑若指近倖之不得志者。自漢魏以來，詩人用意深遠，不失古風，惟此公爲然，不但語言之工也。

杜甫的〈病柏〉、〈病橘〉、〈枯椶〉、〈枯楠〉四詩，由於蘊含諷諭雅正的「比興」之體，因而甚受葉夢得推崇誇贊。再如張戒於《歲寒堂詩話》卷上大加贊揚杜詩的「比興」之體云：

> 如放歸鄜州，而云：「維時遭艱虞，朝野少暇日。顧慚恩私被，詔許歸蓬蓽。」新婚戍邊而云：「勿爲新婚念，努力事戎行，羅襦不復施，對君洗紅妝。」〈壯遊〉云：「兩宮各警蹕，萬

里遙相望。」〈洗兵馬〉云：「鶴駕通宵鳳輦備，雞鳴問寢龍樓曉。」凡此皆微而婉，正而有禮。孔子所謂可以興、可以觀、可以群、可以怨，邇之事父、遠之事君者。

除此之外，張戒又指出李商隱詩謂：「世但見其詩喜說婦人，而不知為世鑒戒。」（《歲寒堂詩話》卷上）的特色，並以「其言近而旨稱，其稱名也小，其取類也大。」作為義山詩的評語，而這些評語即是認為義山詩亦含蘊諷諭雅正的「比興」之體，至於張戒對「賦」體的評價如何呢？《歲寒堂詩話》卷上有云：

梅聖俞云：「狀難寫之景，如在目前。」元微之云：「道得人心中事」，此固白樂天長處。然情意失于太詳，景物失于太露，遂成淺近，略無餘蘊。此其所短處。

由此可見，在張戒的心目中，「賦」的地位顯然不如「比興」。

到了明代，「比興」的地位更是遠勝於「賦」。為了提昇彼時文人對「比興」觀念的重視，甚至演成明代文學的復古運動④。入清之後，常州詞派更以「比興」來論詞，譬如張惠言於〈詞選序〉中云：

敘曰：詞者，蓋出於唐之詩人，……。其緣情造端，興於微言，以相感動，極命風謠里巷男女哀樂，以道賢人君子幽約怨悱不能自言之情，低徊要眇以喻其致。蓋詩之比興，變風之義，騷人之歌則近之矣。然以其文小，其聲哀，放者為之，或淫蕩靡曼，雜以猖狂俳優。然要其至者，罔不惻隱盱愉，感物而發，觸類條鬯，各有所歸，不徒彫琢曼飾而已。

爲了實踐這種論點，張惠言甚至以爲自唐以後詞人，以溫庭筠成就最高，原因是溫詞「其言深美閎約」。至於溫詞之所以蘊有深美閎約的意境，又是因爲詞中含有比興寄托法所隱現的微言大意。這種主張，雖然頗有穿鑿之失，不過正足以說明「比興」之體高於「賦」的情況⑤。

綜上所述，可以發現，陳子昂於〈修竹篇序〉中所提的「彩麗競繁，而興寄都絕」一語，在中國文學批評史上具有非比尋常的意義。自此而後，隨著「言志」文學傳統的再强調，文學作品的創作方式，也趨向重「比興」而輕「賦」。「比興」論詩，遂成爲中國文學復古理論的最重要觀點之一。其中緣由，正如朱自清所言：「論詩尊『比興』，所尊的並不全在『比』『興』本身價值，而在『詩以言志』，詩以明道的作用上了。」（《詩言志辨》、〈比興—四、比興論詩〉，漢京文化公司出版頁九十七）明瞭此一現象，便可以發現，「比興」觀念的消長，與「言志」文學傳統的興衰，有著密不可分的關係。

【附注】

① 〈毛詩序〉將「六詩」名爲「六義」：「詩有六義焉：一曰風，二曰賦，三曰比，四曰興，五曰雅，六曰頌。」

② 有關「比」、「興」連用結合的過程，請參看朱志清《詩言志辨》第二部分論「比興」，尤其是此一部分的第三小節〈比興通釋〉。

③ 對於此一現象，王鍾陵在所著的《中國中古詩歌史》頁三一八中有這樣的解釋：「在曹氏與司馬氏兩個集團的激烈的

廝拼之中，阮籍眷懷于曹氏王室的命運，諷刺司馬氏集團之所爲，然而司馬氏密布爪牙，鍾會作爲一名大間諜，時時窺伺其旁，欲以其對時事之可否而致之罪。嗣宗無法顯言，且秉性至愼，于是乃以迷離恍惚之詞以抒其幽情，從而他的〈詠懷詩〉形成了「厥旨淵放，歸趣難求」的特點，這一特點用一個字來概括便是「深」。不過，步兵八十三首〈詠懷詩〉有許多還是意旨明晰的。其命意幽微的詩，大率仍和當日時事有關者。『顏延年注解怯言其志』（《詩品》），大約即因爲這一類詩。」存錄於此，聊作參考。此書爲江蘇教育出版社一九八八年五月初版。

④譬如李夢陽於〈詩集自序〉中云：「王子（王叔武）曰：『詩有六義，比興要焉。夫文人學子比興寡而直率多，何也？出于情寡而工于詞多也。夫途巷蠢蠢之夫，固無文也。乃其謳也，咢也，呻也，吟也，行呫而坐歌，食咄而寤嗟，此唱而彼和，無不有比焉興焉，無非其情焉，斯足以觀義矣。故曰：詩者，天地自然之音也。』李子曰：『雖然，子之論者，風耳。夫雅頌不出文人學子手乎？』王子曰：『是音也不見于世久矣，雖有作者，微矣！』李子於是憮然失己，灑然醒也。于是廢唐近體諸篇而爲李杜歌行，王子曰：『斯馳騁之技也。』李子于是爲六朝詩，王子曰：『斯綺麗之餘。』于是詩爲晉魏，曰：『比辭而屬意，斯爲有意。』于是爲賦騷，曰：『異其意而襲其言，斯謂有蹊。』于是爲琴操古歌詩，曰：『似矣，然糟粕也。』於是爲四言，入風出雅。曰：『近之矣，然無所用之矣，子其休矣！』李子聞之，闇然無以難也。（《空同先生集》卷五十）從這段文字中，可以見出李夢陽創作的復古過程：由李杜歌行經六朝晉魏、賦騷而上溯到風雅。其目的即在於補救情寡詞工，比興寡而直率多之弊。其他有關明代基於比興觀念的重視而大倡復古的過程，請參看拙作〈明代文學何以走上復古之路〉一文，載於台北學生書局出版之《古典文學》第十集。

⑤嚴迪昌著的《淸詞史》頁四三二對這種現象的批評謂：「由此而言，張惠言的觀點是嚴肅的，但又是保守的。就嚴肅性來講，他蕩洗著浮滑膚淺、搖筆即來的陋習；就保守性來說，他爲堵絀漏而堵塞了眾多通渠，只規定了一條航道。……。他推尊『溫庭筠最高』。評之爲『深美閎約』，正如尊崇姜白石或鼓揚『稼軒風』一樣，也是可以的。只是張惠言以經學家解經的手法來探詞的『微言大義』，箋釋溫飛卿詞的『義有幽隱』之處，以作爲他立論和樹典範的佐證，就顯得迂腐和偏執了。」（江蘇古籍出版社一九九〇年一月初版）其中所言，頗爲中肯，可以參考。

第三章 「思無邪」文學觀念的評述

「思無邪」一語，原出《詩、魯頌、駉》末章：「駉駉牡馬，在坰之野。薄言駉者，有駰有騢，有驔有魚，以車祛祛，思無邪，思馬斯徂。」此章中的「思無邪」，只描述牧馬者專心放牧而不胡思亂想的神態，並無深意。清人姚際恆於《詩經通論》卷十八中說得好：

「思無邪」本與上「無疆」、「無期」、「無斁」同爲一例。語自聖人，心眼迥別，斷章取義，以該全《詩》，千古遂不可磨滅。然與此詩（案：指〈駉〉詩）之旨則無涉也。

所謂「語自聖人，心眼迥別，斷章取義，以該全《詩》，千古遂不可磨滅。」已清楚說明「思無邪」被孔子賦予新意，以作爲評論詩三百的標準。因此，當孔子指出：「詩三百，一言以蔽之，曰：思無邪。」（《論語、爲政》）之後，發乎情、止乎禮義，便成了「思無邪」的新義。在儒家文化思想於中國社會取得主導地位之後，發乎情、止乎禮義的「思無邪」新義，更衍化爲中國詩歌的重要評價標準。於此種規範中，由於强調詩歌的作法，內容必須純正，表現技巧必須中和，遂生出兩種文學創作觀念：溫柔敦厚的表現手法與以誠爲本的創作說。這二種文學觀念，爾後更成爲中國文學復古理論中的重要觀念，以下便分別予以詳述。

第一節　溫柔敦厚的表現手法

「溫柔敦厚」最初的含義，是指學者在誦讀詩三百之後，人格與心靈所受到的感化而具顯於外的特質。《禮記、經解》中載云：

孔子曰：入其國，其教可知也。溫柔敦厚，詩教也；疏通知遠，書教也；廣博易良，樂教也；絜靜精微，易教也；恭儉莊敬，禮教也；屬辭比事，春秋教也。

細讀此段文字，所謂的「溫柔敦厚」與「疏通知遠」、「廣博易良」、「絜靜精微」、「恭儉莊敬」、「屬辭比事」等並列，全在形容學者承受六經的感化之後，具顯於外的人格特質。換言之，「溫柔敦厚」一語，最初的含義是一種人格特質的形容，並非意指詩歌的表現手法。既然如此，「溫柔敦厚」的含義，是在什麼情況下，轉化爲詩歌的表現手法？

原來所謂「溫柔敦厚」的人格特質，即在於人的中和之情的具顯。孔子評論〈關雎〉詩說：「樂而不淫，哀而不傷。」（《論語、八佾》）即是針對〈關雎〉詩所呈顯的中和之情而發。因此，欲培育「溫柔敦厚」的特質，便必須經常接受具有中和之情詩作的薰陶。此爲《禮記、經解》中「溫柔敦厚，詩教也。」的理論來源。然而在接受詩三佰薰陶過程中，由於不斷反復吟誦體會，除了浸染中和之情外，並亦熟悉展現中和之情的寫作手法。這種現象，發展到了漢代的〈毛詩序〉中，終於被歸納整理成下列的詩歌寫作原則：

上以風化下，下以風刺上，主文而譎諫，言之者無罪，聞之者足以戒，故曰風。

這段文字的重點在於「主文而譎諫」一句，意指詩歌創作時，作者必須儘量使用委婉的修辭，來傳達所欲諷諫的內容。〈毛詩序〉的此種立論，顯然已脫出人格感化的詩教意義範疇，而偏重於詩歌創作指導原則的規範。東漢的鄭玄在〈六藝論〉中，解釋此種現象說：

詩者，弦歌諷諭之聲也。自書契之興，朴略尚質，面稱不爲諂，目諫不爲謗，君臣之接如朋友然，在於懇誠而已。斯道稍衰，姦僞以生，上下相犯。及其制禮，尊君卑臣，君道剛嚴，臣道柔順，於是箴諫者希，情志不通，故作詩者以誦其美而譏其過。

鄭玄一語指出，「尊君卑臣」的制度奠定之後，爲臣者不敢直諫國君，於是才有「作詩者以誦其美而譏其過」的現象發生。既然君尊臣卑，所以誦美譏過的詩作必然走上「主文而譎諫」一途。兩漢以後，君位益尊而臣位益卑，於是「溫柔敦厚，詩教也。」便被導入「主文而譎諫」的意義範疇中，成爲詩人創作時的表現手法。譬如唐初的孔穎達，在疏解《禮記、經解》中「溫柔敦厚，詩教也。」時即云：

溫謂顏色溫潤，柔謂情性和柔。詩依違諷諫，不指切事情，故曰：溫柔敦厚是詩教也。（《禮記正義》卷五十）

所謂「依違諷諫，不指切事情」，其實正是〈毛詩序〉「主文而譎諫」的翻版。孔穎達主撰的《五經正義》，後來成了考試必讀的範本，於是「溫柔敦厚」一語，自唐代之後，便成爲詩歌的寫作規範，論詩者亦以之作爲評價標準。譬如宋代司馬光於《續詩話》中云：

詩云：「牂羊墳首，三星在罶。」言不可久。古人爲詩，貴于意在言外，使人思而得之，故言之者無罪，聞之者足以戒也。近世詩人，惟杜子美最得詩人之體。如「國破山河在，城春草木深。感時花濺淚，恨別鳥驚心。」山河在，明無餘物矣；草木深，明無人矣。花鳥平時可娛之物，見之而泣，聞之而悲，則時可知矣。他皆類此，不可徧舉。（頁六—七）

所謂「山河在，明無餘物矣！」即是說明杜甫諱言國破有如巢覆，焉能存有完卵；然而實情實景，又不容不言。於是便在「國破」之後，續之以「山河在」三字；如此一來，「無餘物」之意，自然寄於言外，讀者自可思而得之。其他「草木深，明無人矣。花鳥平時可娛之物，見之而泣，聞之而悲，則時可知矣。」寫作技巧亦同。諸如杜甫〈春望〉詩中的表現手法，表面上並無激烈的指切情事，卻能以溫婉的筆法帶出杜甫感憤時局的心意，即是一種「溫柔敦厚」的表現法。司馬光所以推崇「近世詩人，惟杜子美最得詩人之體」，原因即在於杜詩中此種表現法「不可徧舉」。本此觀點仔細尋繹，更可以發現，宋人所以推崇杜詩高於其他唐人之作，亦多以杜詩蘊有「溫柔敦厚」的表現手法爲由。譬如魏泰於《臨漢隱居詩話》中有云：

唐人詠馬嵬之事者多矣，世所稱者，劉禹錫曰：「官軍誅佞倖，天子捨妖姬。群吏伏門屏，貴人牽帝衣。低徊轉美目，清日自無輝。」白居易曰：「六軍不發將奈何，宛轉蛾眉馬前死。」此乃歌詠祿山能使官軍皆叛，逼迫明皇，明皇不得已而誅楊妃也。噫！豈特不曉文章體裁！而造語拙惷，已失臣下事君之禮也。老杜則不然，其〈北征〉詩曰：「憶昔狼狽初，事與前世別；不聞夏商衰，中自誅褒妲。」方見明皇鑑夏商之敗，畏天悔過，賜妃子死，官軍何預焉。（頁二一三）

魏泰以爲，杜甫所以高過劉禹錫及白居易，即因能於詩中依違諷諫而不指切事情，展現「溫柔敦厚」的寫作筆法。同樣的論點，也見於張戒的《歲寒堂詩話》中：

楊太眞事，唐吟詠至多，然類皆無禮。太眞配至尊，豈可以兒女語黷之耶！惟杜子美則不然。〈哀江頭〉云：「昭陽殿裏第一人，同輦隨君侍君側」，不待云：「嬌侍夜」、「醉和春」，而太眞之專寵可知。不待云：「玉容梨花」，而太眞之絕色可想也。至于言一時行樂事，不斥言太眞，而但言輦前才人，此意尤不可及。如云：「翻身向天仰射雲，一笑正墜雙飛翼」，不待云：「緩歌慢舞凝絲竹，盡日君王看不足」，而一時行樂可喜事筆端畫出，宛在目前。「江水江花豈終極」，不待云：「比翼鳥」、「連理枝」、「此恨綿綿無盡期」，而無窮之恨，黍離麥秀之悲，寄于言外。題云：〈哀江頭〉，乃子美在賊中時，潛行曲江，覩江水江花，哀思而作。其詞婉而雅，其意微而有禮，眞可謂得詩人之旨者。〈長恨歌〉在樂天詩中爲最下，〈連昌宮詞〉在元微之詩中，乃最得意者；二詩工拙雖殊，皆不若子美詩微而

婉也。元、白數十百言，竭力摹寫，不若子美一句，人才高下乃如此。（卷上）

雖說張戒倡導詩必微婉含蓄，與反對東坡的議論爲詩和山谷的補綴奇字有關①，但是如此不厭其煩的比較杜甫〈哀江頭〉與白居易〈長恨歌〉的優劣處，亦可見出詩中「溫柔敦厚」的表現法受張戒重視的程度②。

宋人既以杜詩含蘊「溫柔敦厚」的表現法而大加推崇，評論他家詩作，當然亦持同樣標準。譬如楊萬里於《誠齋詩話》頁三中云：

> 太史公曰：「國風好色而不淫，小雅怨誹而不亂。」左氏傳曰：「春秋之稱，微而顯，忠而晦，婉而成章，盡而不汙。」此詩與春秋，紀事之妙也。近世詞人，閒情之靡，如伯有所賦，趙武所不得聞者，有過之，無不及焉。是得爲好色而不淫乎？惟晏叔原云：「落花人獨立，微雨燕雙飛。」可謂好色而不淫矣。唐人〈長門怨〉云：「珊瑚枕上千行淚，不是思君是恨君。」是得爲怨誹而不亂乎？惟劉長卿云：「月來深殿早，春到後宮遲。」可謂怨誹而不亂矣！近世陳克詠李伯時畫寧王進史圖云：「汗簡不知天上事，至尊新納壽王妃。」是得謂爲微、爲晦、爲婉、爲不汙穢乎？惟李義山云：「侍宴歸來宮漏永，薛王沈醉壽王醒。」可謂微婉顯晦，盡而不汙矣③。

其中以「好色而不淫」、「怨誹而不亂」、「微婉顯晦，盡而不汙」，作爲詩詞的評價標準，合則爲優，不合爲劣。而所謂「好色而不淫」云者，一言以蔽之，即爲中正平和之情的展現，也就是在詩歌中展現「溫柔敦厚」的手法。又如蔡正孫於《詩林廣記》後集卷四引《龜山語錄》論東坡「烏臺詩案」云：

作詩不知風雅之意，不可以作詩。詩尚譎諫，惟言之者無罪，聞之者足以戒，乃為有補。若諫而涉於毀謗，聞者怒之，何補之有？觀蘇東坡詩，只是譏誚朝廷，殊無溫柔篤厚之氣。以此，人故得而罪之。

更是直接指出，東坡詩有指切情事太露之弊，因而授以羅織罪名者口實。由此可見，在宋人心目中，詩中有否「溫柔敦厚」的表現法，不僅可以判定人才的高下，必要時還可以免去無端的災禍。

入明之後，評論者亦再三推崇詩中「溫柔敦厚」的表現法。譬如楊愼嘗於《升菴詩話》卷一〈子美贈花卿〉條下云：

花卿名敬定，丹稜人，蜀之勇將也，恃功驕恣。杜公此詩譏其僭用天子禮樂也，而含蓄不露，有風人言之無罪、聞之者足以戒之旨。公之絕句百餘首，此為之冠。

杜甫〈贈花卿〉詩云：「錦城絲管日紛紛，半入江風半入雲。此曲祇應天上有，人間能得幾回聞。」楊愼即認為其中「此曲祇應天上有，人間能得幾回聞。」乃杜甫委婉其辭，譏斥花卿在蜀僭用天子禮樂一事。杜甫另有〈戲贈花卿歌〉云：「成都猛將有花卿，學語小兒知姓名。用如快鶻風火生，見賊惟多身始輕。綿州副使著柘黃，我卿掃除即日平。子璋髑髏血模糊，手提擲還崔大夫，李侯重有此節度。人道我卿絕世無，既稱絕世無，天子何不喚取守東都。」（《杜詩鏡銓》卷八）與〈贈花卿〉詩兩相比較，楊愼可謂極具見識。蓋杜甫作〈贈花卿〉詩時，身處成都，對西川牙將花驚定的僭用禮樂一事，縱有不滿，爲了免禍，必然不會直斥其非。觀〈贈花卿〉詩中內涵，似諛似諷，既可表達本身立場，又不致授人口實而遭致不測之禍，這正是一種「溫柔敦厚」的表現手法。

楊愼由於重視詩中「溫柔敦厚」手法的表現，所以對於直陳時事，類於訕訐的作品，便不甚許，連杜詩亦不例外。《升菴詩話》卷十一〈詩史〉條下云：

宋人以杜子美能以韻語紀時事，謂之詩史，鄙哉宋人之見，不足以論詩也。夫六經各有體，易以道陰陽，書以道政事，詩以道性情，春秋以道名分。後世之所謂史者，左記言，右記事，古之尚書、春秋也。若詩者，其體其旨，與易、書、春秋判然矣。三百篇皆約情合性而歸之道德也，然未嘗有道德字也，未嘗有道德性情句也。二南者，修身、齊家其旨也，然其言琴瑟鐘鼓、荇菜芣苢、夭桃穠李、雀角鼠牙，何嘗有修身、齊家字耶？皆意在言外，使人自悟。至於變風變雅，尤其含蓄，言之者無罪，聞之者足以戒。如刺淫亂，則曰：「雝雝鳴雁，旭日始旦」，不必曰：「愼莫近前丞相嗔」也。憫流民，則曰：「鴻雁于飛，哀鳴嗷嗷」，不必曰：「千家今有百家存」也。傷暴斂，則曰：「維南有箕，載翕其舌」，不必曰：「哀哀寡婦誅求盡」也。敘飢荒，則曰：「牂羊墳首，三星在罶」，不必曰：「但有牙齒存，可堪皮骨乾」也。杜詩之含蓄蘊藉者，蓋亦多矣！宋人不能學之，至於直陳時事，類於訕訐，乃其下乘末腳，而宋人拾以爲寶。

細觀楊愼此段文字立論，全以詩中有否「溫柔敦厚」表現法作爲評價基準。其間不僅摘取杜詩直陳其事之作一一加以批評，並對宋人以此推尊杜甫爲「詩史」之說，大加駁斥。緣此可見，楊愼是如何重視詩中「溫柔敦厚」的表現手法。

明室既屋，清帝爲了消除排滿思想，屢興文字獄，文人動輒得咎，因而詩中「溫柔敦厚」的表現法，更是受人重視。其間最具代表性的是沈德潛，其《說詩晬語》卷上開頭便指出：「學者但知尊唐而不上窮其源，猶望海者指魚背爲海岸，而不自悟其見之小也。今雖不能竟越三唐之格，然必優柔漸漬，仰溯風雅，詩道始尊。」所云「仰溯風雅」，亦即要恢復詩教溫柔敦厚之旨。秉此原則，《說詩晬語》中便屢舉相關詩例，以作說明。例如下列諸條：

諷刺之詞，直詰易盡，婉道無窮。衛宣姜無復人理，而〈君子偕老〉一詩，止道其容飾衣服之盛，而首章末以「子之不淑，云如之何」二語逗露之。魯莊公不能爲父復讎，防閑其母，失人子之道，而〈猗嗟〉一詩，止道其威儀技藝之美，而章首以「猗嗟」二字譏嘆之。蘇子所謂不可以言語求而得，而必深觀其意者也。詩人往往如此。（卷上）

州吁之亂，莊公致之，而〈燕燕〉一詩，猶念「先君之思」；七子之母，不安其室，非七子之不令，而〈凱風〉之詩，猶云「莫慰母心」。溫柔敦厚，斯爲極則。（卷上）

少陵〈新婚別〉云：「嫁女與征夫，不如棄路旁」近於怨矣，而「君今往死地」以下，層層轉換，勉以努力戎行，發乎情止乎禮義也。（卷上）

類似以上諸條之語，《說詩晬語》中可謂比比皆是，不勝枚舉。由於沈德潛特重「溫柔敦厚」的詩歌表現法，因此在編選古詩之際，便以之作爲選錄標準。其〈古詩源序〉中云：「既以編詩，亦以論世，使覽者窮本知變，以漸窺風雅之遺意，猶觀海者繇逆河上之以溯崑崙之源，於詩教未必無少助也夫。」（《歸愚文鈔》卷十一）又於〈唐詩別裁集序〉中云：「人知唐爲正軌矣，第簡編紛雜，無可據依，故有志復古而未得其宗，因偕樹滋陳子，取向時所錄五十餘卷，刪而存之，復於唐詩全帙中，網羅佳什，補所未備，……，大約去淫濫以歸雅正，於古人所云微而婉、和而莊者，庶幾一合焉，此微意所存也。」（《歸愚文鈔》卷十一）由此可見，沈德潛對於「溫柔敦厚」的詩歌表現法，不僅個人重視而已，更要予以推廣，用心可謂良苦。

沈德潛之後的宋大樽，則以失卻「溫柔敦厚」之旨，來說明齊梁陳隋之詩降而愈下之因，其《茗香詩論》中云：「齊梁陳隋之格之降而愈下也，其由來安在？……。夫一變而爲清談，再變而爲極欲，其病同歸于必斃。顧清談者，聽其自斃而已，極欲者又趣之。……。好色而淫，則發乎情者不止乎禮義，不止乎禮義則無廉恥，無廉恥安得有氣節？」（頁五—六）如此立論，發乎情止乎禮義的「溫柔敦厚」詩教，又與時代興衰牽扯在一起。在這種情況下，黃大樽遂發展出一套比明代復古者更偏狹的唯古是尙理論。《茗香詩論》中云：

> 詩之緣起，見於毛公說詩及紫陽夫子詩序，知詩之何爲而作，與上之所以教，則知不徒在作詩，亦不可徒作詩，且盍誦詩乎！即以辭章論，古無踰於三百者；以人論，二南親被文王之化

以成德，作雅、頌者，往往聖人之徒，人之足重，無踰此者；曾經聖裁，刪本之善，無踰此者；章句訓詁，皆大儒注釋之，精詳無踰於此者；童而習之，習熟亦無踰於此者。（頁一一二）

這種主張，已經走入偏狹而非通達之論。因此，連同樣推崇「溫柔敦厚」之旨的潘德輿，都有不與之詞，其《養一齋詩話》卷十中云：

大抵論詩有三要：一曰心術，二曰氣體，三曰時運。心術無古今，而氣體不能無古今，則時運爲之，不可貶也。……雖然，氣體當爲今之古，不必爲古之古。爲古之古，則仿效形跡而爲古之皮毛；爲今之古，則獨濬靈源而爲古之苗裔。……。近人論詩，不知心術、氣體，固屬卑下，若香不審時運，而徒以氣體分升降，亦非通達而無滯者。

不過潘德輿畢竟是推闡「溫柔敦厚」詩教者，其《養一齋詩話》卷一開卷便云：「『詩言志』、『思無邪』，詩之能事畢矣。」卷三中又云：「凡作譏諷詩，尤要蘊藉，發露尖穎，皆非詩人敦厚之教。」凡此皆可見出，潘氏論詩重視「溫柔敦厚」一如沈德潛。

經由以上論述，可以說明「溫柔敦厚」的詩歌表現法，在中國文學思想中佔有極爲重要的地位。基於此種現象，論詩者幾乎全以詩三佰作爲圭臬，復古思想也因而衍生。此外伴隨而來的，便是比興觀念的强調。因爲詩重比興，自然不會指切情事而出現委婉蘊藉的風格。不過平心而論，「溫柔敦厚」的表現法固然能使詩歌出現優游不迫之美，但是爲了倡導「溫柔敦厚」之旨，而將所有詩歌皆籠罩在詩教底下，反而失之偏狹。更何況詩三百之中，亦非全無直指其事之作，必曲加解說，反生穿鑿而有違詩意。譬如明代王世貞於《藝苑卮言》卷四中，駁楊愼摘取杜詩直陳其事之作，而加以譏評之語謂：

> 楊用脩駁宋人詩史之說，而譏少陵云：「詩刺淫亂，則曰：雝雝鳴雁，旭日始旦。不必曰：愼莫近前丞相嗔也。……。」其言甚辯而覈，然不知嚮所稱皆興比耳。詩固有賦以述情切事爲快，不盡含蓄也。語荒而曰：「周餘黎民，靡有孑遺」，勸樂而曰：「宛其死矣，它人入室」，譏失儀而曰：「人而無禮，胡不遄死」，怨讒而曰：「豺虎不受，投畀有昊」。若使出少陵口，不知用脩何如貶剝也。

所謂「詩固有賦以述情切事爲快，不盡含蓄」一語，可謂中肯之說，否則賦、比、興之分何用？所舉之例，亦頗適當，足見詩三百中，並非全無直指其事之作。然而沈德潛於《說詩晬語》卷上，卻有另番解釋：

> 〈巷伯〉惡惡，至欲「投畀豺虎」、「投畀有北」，何嘗留有餘地？然想其用意，正欲激發其羞惡之本心，使之同歸於善，則仍是溫厚和平之旨也。〈牆茨〉、〈相鼠〉詩，亦須本斯意讀。

〈巷伯〉詩乃〈小雅、節南山之什〉中之作，所謂「彼譖人者，誰適與謀！取彼譖人，投畀豺虎；豺虎不食，投畀有北；有北不受，投畀有昊。」對於讒人可說痛恨已極，故有先投豺虎、次投凶地、再請上天處罪之咒，眞可謂必欲除去而後甘心，何有「欲激發其羞惡之本心，使之同歸於善」之意？至於〈相鼠〉三章，先言「人而無儀，不死何為」、次言「人而無止，不死何俟」、末云「人而無禮，胡不遄死」，明顯是直斥無禮之作，又何須曲為解釋，謂為溫厚和平之音！因此，在論述「溫柔敦厚」的詩歌表現手法之時，應如同清人葉燮所云：

或曰：溫柔敦厚，詩教也。漢魏去古未遠，此意猶存，後此者不及也。不知溫柔敦厚，其意也，所以為體也，措之于用則不同；辭者，其文也，所以為用也，返之於體則不異。漢魏之辭，有漢魏之溫柔敦厚；唐宋元之辭，有唐宋元之溫柔敦厚。譬之一草一木，無不得天地之陽春以發生，草木以億萬計，其發生之情狀，亦以億萬計，而未嘗有相同一定之形，無不盎然皆具陽春之意，豈得曰：若者得天地之陽春，而若者為不得哉？且溫柔敦厚之旨，亦在作者神而明之，如必執而泥之，則〈巷伯〉投畀之章，亦難合于斯言矣！（《原詩》內篇頁三—四）

換言之，「溫柔敦厚」的詩歌表現法，應隨時代改變轉移，而有不同的風貌，不可執而泥之。如此解析，可謂深知文學流變者，直是可敬可畏。

【附注】

①張戒曾於《歲寒堂詩話》卷上頁四中云：「子瞻以議論作詩，魯直又專以補綴奇字，學者未得其所長，而先得其所短，詩人之意掃地矣。段師教康崑崙琵琶，且遺不近樂器十餘年，忘其故態。學詩亦然，蘇黃習氣淨盡，始可以論唐人詩。唐人聲律習氣淨盡，始可以論六朝詩。鐫刻之習氣淨盡，始可以論曹、劉、李、杜詩。」由此可見，蘇、黃的議論

爲詩和補綴奇字習氣，被張戒視爲學詩的最大障礙。議論爲詩會流於詞意顯露，補綴奇字會傷於雕琢而略無餘韻，因此張戒便提倡溫柔委婉的寫作風格來予以彌補。

② 張戒甚至以此評定山谷詩不及老杜。《歲寒堂詩話》卷上頁十一中云：「自建安七子、六朝、有唐及近世諸人，思無邪者，惟陶淵明、杜子美耳，餘皆不免落邪思也。……。魯直雖不多說婦人，然其韻度矜持，治容太甚，讀之足以蕩人心魄，此正所謂邪思也。魯直專學子美，然子美詩讀之使人凜然興起，肅然起敬，詩序所謂經夫婦、成孝敬、厚人倫、美教化、移風俗者也。豈可與魯直詩同年而語耶？」

③ 李商隱〈龍池〉詩云：「龍池賜酒敞雲屏，羯鼓聲高衆樂停。夜半讌歸宮漏永，薛王沈醉壽王醒。」楊萬里此處以爲微婉顯晦，盡而不汙。然而亦有持反對意見者，譬如清人馮浩於《玉谿生詩集箋注》卷三〈龍池〉詩後評云：「余謂正大傷詩教者。」屈復《玉溪生詩意》卷七〈龍池〉詩後評云：《可以不作。」沈德潛《說詩晬語》卷上頁五則謂爲「輕薄派」。同一首作品，竟然出現兩種極端的體會，其中必有原因。仔細思索，前舉謂李商隱〈龍池〉詩有傷名教，陷入輕薄者，多爲清人，而清初文網最爲嚴苛，可見乃時代政治環境使然。緣此益見，尊君卑臣的制度，實爲「溫柔敦厚」詩教盛行的最大支柱。

第二節　以誠為本創作說的演變

詩歌中以誠爲本的創作理論，最早可以溯源到《周易、乾卦、文言》：「君子進德修業。忠信，所以進德也；修辭立其誠，所以居業也。」不過《周易》中所言，乃指個人德行功業與言辭的關係，並非意指創作所用的修辭。兩漢之後，《周易》成了五經之一，原本意指言辭應出以誠正表達的「修辭立其誠」，遂被引申應用到對文學修辭的規範上，譬如東漢王充於《論衡、超奇》中云：

有根株於下，有榮葉於上，有實核於內，有皮殼於外。文墨辭說，士之榮葉皮殼也。實誠在胸臆，文墨著竹帛，外內表裏，自相副稱，意奮而筆縱，故文見而實露也。……觀谷永之陳說，唐林之宜言，劉向之切議，以知爲本，筆墨之文，將而送之，豈徒雕文飾辭，苟爲華葉之言哉？精誠由中，故其文語，感動人深。

所謂「實誠在胸臆，文墨著竹帛」之語，顯然已將「修辭立其誠」轉化爲對文學修辭的要求，所以下文才會舉谷永、唐林、劉向，並推贊此三人非徒雕文飾辭，乃因「精誠由中，故其文語，感動人深。」緣於此故，王充更在《論衡、自紀》中指出：「又傷僞書俗文，多不實誠，故爲論衡之書。」據此可以明瞭，至少在王充之時，「修辭立其誠」已成爲品評文學作品的重要觀念。稍後的王符，即以「不誠」來批駁當時的賦頌之徒，《潛夫論、務本》中有云：

詩賦者，所以頌善醜之德，洩哀樂之情也。故溫雅以廣文，興喻以盡意。今賦頌之徒，苟爲饒辯屈蹇之辭，競陳誣罔無然之事，以索見怪於世。愚夫戇士，從而奇之，此悖孩童之思，而長不誠之言者也。

賦頌之徒，由於競製奇異偉構之辭，以討好國君，卻在無形中增長了不誠之言的虛構風氣，以致背離了原本「頌善醜之德，洩哀樂之情」的主旨與功能。這種違背「修辭立其誠」的離本飾末現象，正是兩漢辭賦爲人詬病之處。因而唐代的劉知幾於《史通、載文》中有云：

> 夫觀手人文，以化成天下；觀乎國風，以察興亡。是知文之爲用，遠矣，大矣。若乃宣僖善政，其美載於周詩；懷襄不道，其惡存乎楚賦。讀者不以吉甫、奚斯爲諂，屈平、宋玉爲謗者，何也？蓋不虛美，不隱惡故也。是則文之將史，其流一焉，固可以方駕南董，俱稱良直者矣！爰洎中葉，文體大變，樹理者多以詭妄爲本；飾辭者務以淫麗爲宗，譬如女工之有綺縠，音樂之有鄭衛。……若馬卿之子虛、上林，揚雄之甘泉、羽獵，班固兩都，馬融廣成，喻過其體，詞沒其義，繁華而失實，流宕而忘返，無裨奬勸，有長奸詐，而後史漢，皆書諸列傳，不其謬乎？（卷五內篇第十六）

劉知幾於《史通》中所論，雖然是針對史書之文而發，不過也認爲「文之將史，其流一焉」。所以先舉吉甫、奚斯、屈平、宋玉四位作者爲例，說明只要心本誠正，文雖頌美而人不以爲諂，辭雖顯惡而人不以爲謗。至於兩漢有名的辭賦家，諸如司馬相如的〈子虛〉、〈上林〉，揚雄的〈甘泉〉、〈羽獵〉，班固的〈兩都〉和馬融的〈廣成〉諸賦，由於喻過其體，繁華失實而不誠，因此劉知幾以爲前、後漢書爲之列傳，乃是錯誤之舉。基於此種觀點，劉知幾認爲，唯有下列諸人之文，方可書之竹帛：

> 至如詩有韋孟諷諫，賦有趙壹嫉邪，篇則賈誼過秦，論則班彪王命；張華述箴於女史，張載題

銘於劍閣，諸葛表主以出師，王昶書家以誡子，劉向、谷永之上疏，晁錯、李固之對冊，荀伯子之彈文，山巨源之啓事。此皆言成軌則，爲世龜鏡，求諸歷代，往往而有。苟書之竹帛，持以不刊，則其文可與三代同風，其事可與五經齊列，古猶今也，何遠近之有哉。（《史通、載文》）

如此一來，復古的主張就顯現出來。劉知幾甚至認定，經由此種方式，可以使文學作品入於雅道，《史通、載文》末云：「昔夫子修春秋，別是非，申黜陟而賊臣逆子懼。凡今之爲史而載文也，苟能撥浮華，採眞實，亦可使夫雕蟲小伎者，聞義而知徙矣。此乃禁淫之隄防，持雅之管轄，凡爲載文者，可不務乎！」所謂「撥浮華，採眞實」，亦即强調修史者載錄之文，須具備不虛美、不隱惡的特色。換言之，亦即要求史官收載出之以誠的文學作品。此種「以誠爲本」的作品一旦收入史書中而成爲龜鏡，後代文人創作時自然會知所取捨，而不會效法雕蟲之技，文學作品必會棄淫邪而就雅道。

劉知幾此種重視爲文誠正，不虛美、不隱惡的主張，在唐代的古文運動中，經常出現。譬如獨孤及於〈唐故殿中侍御史贈考功郎中蕭府君文章集錄序〉中說：「君子修其詞，立其誠，生以比興宏道，歿以述作垂裕，此之謂不朽。」（《昆陵集》卷十三）修辭立其誠成了不朽的主要原因。獨孤及由於本此理念著述爲文，因而梁肅在《昆陵集後序》中的評語爲：

天寶中，作者數人，頗節之以禮。洎公爲之，則又操道德爲根本，總禮樂爲冠帶。以易之精義，詩之雅訓，春秋之褒貶，屬之於詞，故其文寬而簡，直而婉，辯而不華，博厚而高明，論

人無虛美，比事爲實錄，天下凜然，復覩兩漢之遺風。（《唐文粹》卷九十三）

所云「論人無虛美，比事爲實錄」之語，與劉知幾評吉甫、奚斯、屈平、宋玉等人相同，皆指文辭出之以誠正不僞；而此種特點，梁肅則以爲是取自易、詩、春秋中的精華而得。五經既是爲文之本，誠正不僞又是五經的精華所在，欲使創作之文達到既誠且正的地步，便只有熟讀五經一途。①

古文運動中既然强調「以誠爲本」的創作觀，對於當時爲文不指其事實，虛稱溢美的習尚，便屢有不滿之聲。先是李翺於〈百官行狀奏〉中議云：

今之作行狀者，非其門生，即其故吏，莫不虛加仁義禮智，妄言忠肅惠和。或言盛德大業，遠而愈光；或云直道正言，歿而不朽。曾不直敘其事，故善惡混然不可明。……。此不惟其處心不實，苟欲虛美於所受恩之地而已。蓋亦爲文者，又非游、夏、遷、雄之列，務於華而忘於實，溺於辭而棄其理，故爲文則失六經之古風，記事則非史遷之實錄，不如此則辭句鄙陋，不能自成其文矣。（《李文公集》卷十）

李翺於此篇文字中以爲，當時作行狀者的處心不實與務華妄實，非僅爲文失卻六經之古風，亦因內容的虛美妄言，使得善惡相混而不得分明。李翺因此建議：「史氏記錄，須得本末，苟憑往例，皆是空言。」除此之外，白居易亦於〈議碑碣詞賦〉中云：

凡今秉筆之徒，率爾而言者有矣，斐然成章者有矣。故歌詠詩賦碑碣讚詠之製，往往有虛美者矣，有媿辭者矣。若行於時，則誣善惡而惑當代；若傳於後，則混眞僞而疑將來。臣伏思之，恐非先王文理化成之教也。且古之爲文者，上以紐王教，繫國風；下以存炯戒，通諷諭。故懲勸善惡之柄，執於文士褒貶之際焉；補察得失之端，操於詩人美刺之間焉。今褒貶之文無覈實，則懲勸之道缺矣；美刺之詩不稽政，則補察之義廢矣。唯雕章鏤句，將焉用之？……。伏惟陛下詔主文之司，諭養文之旨，俾辭賦合炯誡諷諭者，雖質雖野，採而獎之；碑誄有虛美愧辭者，雖華雖麗，禁而絕之。若然，則爲文者必當尚質抑淫，著誠去僞，小疵小弊，蕩然無遺矣！則何慮乎皇家之文章，不與三代同風者歟？（《白氏長慶集》卷四十八、〈策林〉六十八）

依白居易此篇文字中所言，當時碑碣詞賦之作，虛美媿辭的風氣必然鼎盛，否則也不必乞求皇帝下詔來禁止。在白居易以爲，此種虛美愧辭的創作風氣，意謂著文學作品懲善勸惡，補察得失等教化功能的喪失。文學的教化功能一旦喪失，王教的推行勢必受到影響，而形成「上無以紐王教、繫國風；下無以存炯戒、通諷諭」的現象。如此一來，「雖雕章鏤句，將焉用之？」因此，白居易希望透過帝王的權威，來改變此種不良的爲文習尙。至於白居易心目中，爲文者應該循著何種規範來創作才是？文中提出「尙質抑淫，著誠去僞」一句即是。「尙質抑淫」是重實，亦即要求文章內容樸實而排斥淫辭麗藻；「著誠去僞」是求眞，亦即要求爲文不造假。爲文如若求眞而不虛飾，自然便會呈現樸實的內容而無有淫辭。因此「著誠去僞」一句，可以概括白居易的爲文主張。而「著誠去僞」的意義，其實就是「以誠爲本」的創作觀念。

北宋時期，與東坡、山谷爲方外交的釋惠洪，於所撰的《冷齋夜話》卷三中，也收錄李格非作詩以誠爲本的主張：

李格非善論文章，嘗曰「諸葛孔明〈出師表〉、劉伶〈酒德頌〉、陶淵明〈歸去來詞〉、李令伯〈乞養親表〉，皆沛然如肝肺中流出，殊不見有斧鑿痕。是數君子，在後漢之末、兩晉之間，初未嘗以文章名世，而其意超邁如此。吾是以知文章以氣爲主，氣以誠爲主。故老杜謂之『詩史』者，其大過人在誠實耳。」

李格非所謂「老杜謂之『詩史』者，其大過人在誠實耳。」一語，實即宋人謂杜詩似司馬遷之比的含意②。其他如諸葛亮的〈出師表〉、劉伶的〈酒德頌〉、陶潛的〈歸去來辭〉和李密的〈乞養親表〉等作品，由於都出以誠正之情，因而讀者莫不爲之感動。不過北宋之後，上述「以誠爲本」創作說的含義似乎開始擴大，首開立論的應屬元好問。

元好問的〈以誠爲本〉之論，見於〈楊叔能小亨集引〉一文中：

貞祐南渡後，詩學大行，初亦未知適從，溪南辛敬之，淄川楊叔能以唐人爲指歸。……。唐詩所以絕出於三百篇之後者，知本焉爾。何謂本？誠是也。古聖賢道德言語布在方冊者多矣，且以「弗慮胡獲，弗爲胡成」、「無有作好」、「無有作惡」、「樸雖小，天下莫敢臣」較之，與「祈年孔夙，方社不莫」、「敬共明神，宜無悔怒」何異，但篇題句讀不同而已。故由心而誠，由誠而言，由言而詩也。三者相爲一。情動於中而形於言，言發乎邇而見乎遠，同聲相應，同氣相求，雖小夫賤婦孤臣孽子之感諷，皆可以厚人倫、美教化，無他道也。故曰：不誠無物。夫唯不誠，故言無所主，心口別爲二物；物我邈其千里，漠然而往，悠然而來，人之聽之，若春風之過焉耳，其欲動天地、感鬼神，難矣。其是之謂本。唐人之詩，其知本乎？何溫柔敦厚、藹然仁義之言之多也。幽憂憔悴，寒饑困憊，一寓於詩，而其阨窮而不憫，遺佚而不怨者，故在也。至於傷讒疾惡，不平之氣不能自揜，責之愈深，其旨愈婉，怨之愈深，其辭愈緩。優柔饜飫，使人涵泳於先王之澤，情性之外，不知有文字。幸矣，學者之得唐人爲指歸也。（《遺山集》卷卅六）

在此篇文字中，元好問將「誠」視爲詩的創作發端，而與傳統的詩教理論揉合。所謂「誠」，元好問於〈內相文獻楊公神道碑銘〉中云：「聖人之道無它，至誠而已。誠者何？不自欺之謂也。蓋誠之一物，存諸己則忠，加諸人則恕。」（《遺山集》卷十八）緣此可見，「誠」的含義，已由外在的不虛美、不隱惡，轉變成內在的道德涵養——忠、恕。元好問以此種觀點，盛讚唐詩中「責之愈深，其旨愈婉，怨之愈深，其辭愈緩」的創作風格，是爲知本，並欲學詩者以唐人爲指歸。這些立論，實際上就是「思無邪」文學觀念的回復。

元好問既然以「誠」爲不自欺，因而也特別重視詩中所呈顯之「眞」而排斥僞飾，其〈論詩絕句三十首〉之六云：「心畫心聲總失眞，文章仍復見爲人。高情千古閑居賦，爭信安仁拜路塵。」（《遺山集》卷十一）詩中對於潘岳失眞僞飾的作品提出指斥，並進而懷疑「言爲心聲」的眞確性。換言之，元好問以爲，如果不以至誠之心來發而爲言、爲文，仍然可能出現僞飾不眞之文。至於避免此項缺失的方法，則是恢復風雅正體。因而〈論詩絕句三十首〉之一云：「漢謠魏什久紛紜，正體無人與細論。誰是詩中疏鑿手？暫教涇渭各清渾」。言下之意，元好問欲自任疏鑿手，理出正體與僞體的區別，讓爲文者有所遵循。這些都與欲回復「思無邪」的文學觀念有關。

明代的宋濂論文，力主以六經爲本與根，因此也注意到爲文立誠的重要，其〈文說贈王生黼〉文中云：

> 聖賢非不學也，學其大，不學其細也。……。及之於身以觀其誠，養之於心而欲其明，參之於氣而致其平，推之爲道而驗其恆，蓄之爲德而俟其成。……。文者果何繇而發乎？發乎心也。心烏在？主乎身也。身之不脩，而欲脩其辭，心之不和，而欲和其聲，是猶擊破缶而求合乎宮商，吹折葦而冀同乎有虞氏之簫韶也，決不可致矣。（《宋文憲公全集》卷廿九）

既然注重「及之於身以觀其誠」，又強調文發乎心，心主乎身，身之不修，而欲修其辭絕不可致。可見爲文修辭的先決條件在於心誠。惟有如此，才能達到「聖賢之心，浸灌乎道德，涵泳乎仁義，道德仁義積而氣因以充，氣充，欲其文之不昌，不可遏也。」（〈文說贈王生黼〉）的境界。在宋濂以爲，「誠」的標準即是正，指的是爲文者內在的道德仁義涵養。至於培養誠正道德涵養的方法，宋濂提出「舍六籍吾將焉從？」（〈文原〉、《宋文憲公全集》卷二十六）的主張。因此，就宋濂而言，「以誠爲本」的含義就是爲文以六經中含蘊的道德仁義爲本。

「以誠爲本」的創作說，轉化爲作者內在道德涵養的要求後，經明入清，仍爲古文家立論的重點。魏禧就曾於〈甘健齋軸園稿序〉中指出：「孔子曰：言之不文，行之不遠。於易曰：脩辭立其誠。立誠以爲質，修之而後言可文也。」（《魏叔子文集》卷八）何謂「質」？〈張無擇文集敘〉中云：「記曰：甘受和，白受采，忠信之人可與學禮。質之謂也。」（《魏叔子文集》卷八）由此可見，「質」指的是「忠信」。換言之，「立誠以爲質」一語，即謂「立誠以爲忠信」，魏禧認爲必如此方爲有文。此種說法，實即孔子「有德者必有言」的引申。「立誠以爲忠信」則意眞，此爲三百篇內涵的特色，因此〈唐邢若詩序〉中云：「蓋三百篇，學士大夫以至征夫思婦皆有之，不假學問而詩能工者，意眞也。人無眞意而求工于詩，辟猶附塗而粉澤之，施以繪彩，則幾何其能久也。」（《魏叔子文集》卷九）緣此可見，「立誠」不僅是爲文之本原，也是使詩歌長久永存的主因。

朱彝尊則以爲，爲文而不立誠，是僞體而非古文。其〈王築夫白田集序〉中云：「易曰：修辭立其誠。故惟克實後光輝乃見，義之至則辭無不工，彼意在求工，而後爲之，誠之不立，雖屢變其體，以眩于人，吾見其僞焉耳矣。」（《曝書亭集》卷三十六）朱彝尊以爲，作文必先立誠乃能得實，如此則義至，義至必心正，如此爲文則無虛發之弊。何謂「義之至」？即文辭足以載道之意，其〈報李天生書〉中云：「蓋足下之所尚者文，而僕之所期於足下者，載道之謂也。孔子曰：辭達而已矣。禮曰：辭苟足以達，義之至也。」（《曝書亭集》卷三十一）基於此項觀點，因而朱彝尊自言特重韓愈、歐陽修和曾鞏之文，〈報李天生書〉中有云：「僕之深契夫韓、歐陽、曾氏之文者，以其折衷六藝，多近道之文，非謂其文之過於秦漢也。」韓愈、歐陽修及曾鞏之文，由於「折衷六藝，多近道之文」，所以爲朱彝尊所看重。依此看來，就朱彝尊而言，爲文立誠乃是促使文辭足以載道的主因。

經由以上論述，可以理出「以誠爲本」的創作說，於中國文學思想史中演變的過程。在元好問之前重「誠」的文學主張，顯然意指文學作品必須「論人無虛美，比事爲實錄」，而排斥虛美愧辭的創作風氣。自元好問將「誠」的含義，由不自欺引申到聖人的忠恕之道，而與詩教相揉合，並以之盛讚唐詩因有此種特色，故而多現溫柔敦厚、藹然仁義之言後，「以誠爲本」創作說的意義遂漸被擴大，不再拘限於「論人無虛美，比事爲實錄」的範疇中。譬如宋濂心目中的「誠」，指的是爲文者內在的道德仁義涵養，所外現的特質。這種對於「誠」的意義認定，以後幾乎成了一種共識。不過，無論「以誠爲本」的意義如何演變，當時所以被提出的主因，皆在於避免文學作品落入邪思中，而能回歸六經的規範。因此而言，「以誠爲本」的創作說，實爲「思無邪」文學觀念之一支，且爲中國文學思想中重要的復古理論。

【附註】

① 譬如柳宗元於〈報袁君陳秀才避師名書〉中云：「大都文以行爲本，在先誠其中，其外者當先讀六經，次論語、孟軻書皆經言，……。其歸在不出孔子，此其古人賢士所懔懔者。」（《柳河東集》卷三十四）即是認爲，先讀六經乃是使作者立誠於中的首要之務。

② 黃徹所撰的《砮溪詩話》卷一頁二錄云：「東坡問老杜何如人？或言似司馬遷。」至於對司馬遷的評語，一般都採班固於《漢書、司馬遷傳贊》中之語：「然自劉向、揚雄，博極群書，皆稱遷有良史之才，服其善序事理，辨而不華，質而不俚，其文直，其事核，不虛美，不隱惡，故謂之實錄。」（卷六十二）因此，李格非所謂老杜爲「詩史」，「其大過人在誠實耳」之意，亦即强調杜詩具有不虛美、不隱惡的實錄特色。

第三篇 結論：復古風氣對中國文學的影響

第一章 貴古賤今文學觀念的形成

中國文學復古風氣的倡導者，由於動輒謂爲文當以六經爲法，非三代兩漢之書不敢觀（韓愈〈答李翊書〉中語），因此所提倡的文學理論，便無可避免地爲貴古賤今的文學觀念造勢。舉劉勰的《文心雕龍》爲例，其〈宗經〉篇中先云：

故論說辭序，則易統其首；詔策章奏，則書發其源；賦頌歌讚，則詩立其本；銘誄箴祝，則禮總其端；紀傳銘檄，則春秋爲根；並窮高以樹表，極遠以啓疆，所以百家騰躍，終入環內者也。若稟經以製式，酌雅以富言，是仰山而鑄銅，煮海而爲鹽也。

顯然將後代各種文學體裁之祖，皆歸諸於五經。在此種認定下，爲文者「若稟經以製式，酌雅以富言」，則文思與修辭將源源不斷，有如「仰山而鑄銅，煮海而爲鹽」一般取之不竭。換言之，五經在劉勰心目中，乃任何文學體裁創作的源頭。因此，〈宗經〉篇接著說：「故文能宗經，體有六義：一則情深而不詭，二則風清而不雜，三則事信而不誕，四則義直而不回，五則體約而不蕪，六則文麗而不淫。」爲文宗經，既能自然擁有六項優點，崇古貴古的觀念已經浮現上來。基於此種論點，劉勰便於〈通變〉篇中說明中國文學，由質轉訛的原因：

> 推而論之，則黃、唐淳而質，虞、夏質而辨，商、周麗而雅，楚、漢侈而艷，魏、晉淺而綺，宋初訛而新。從質及訛，彌近彌淡。何則？競今疏古，風味氣衰也。今才穎之士，刻意學文，多略漢篇，師範宋集，雖古今備閱，然近附而遠疎矣。

此段文字，說明了文學作品，從黃帝以迄於南朝的宋代，所以由質轉訛，彌近彌澹之因，乃是作者「競今疏古，風味氣衰也」的緣故。至於當代作者在執筆爲文之際，又「多略漢篇，師範宋集」，因而文學疏離古人益遠。這些缺失要如何改正？〈通變〉篇中提出的方法是「矯訛翻淺，還宗經誥」。換言之，劉勰仍舊以爲，爲文宗經，可以矯正時文訛淺之弊。由上可知，劉勰論文雖無貴古賤今之名卻有其實。

唐代首開復古風氣的陳子昂，亦於〈與東方左史虬修竹篇序〉中云：

> 僕嘗暇時觀齊、梁詩，彩麗競繁，而興寄都絕，每以永歎。思古人常恐逶迤頹靡，風雅不作，以耿耿也。（《陳拾遺集》卷一）

文中常以古人風雅不見於當今而憂慮，顯然是貴古賤今的文學觀。至於古文運動的提倡者韓愈，除了在〈答李翊書〉中自言：「始者非三代兩漢之書不敢觀。」（《昌黎先生集》卷十六）之外，更於〈答劉正夫書〉中云：「或問爲文宜何師？必謹對曰：宜師古聖賢人。」（《昌黎先生集》卷十八）宋初的王禹偁則於〈答張扶書〉中云：「今爲文而捨六經，又何法焉？」（《小畜集》卷十八）這種爲文必以古爲師的觀念，很自然便使貴古賤今的文學觀念興起。貴古賤今的文學觀念形成之後，對文學作品最直接的影響，便是擬古文學風氣的流行，以及對文學修辭技巧的壓抑。以下便分別加以申論。

第一節　壓抑文學修辭的發展

由復古文學理論所引發的貴古賤今文學觀念，主要在强調爲文須師古與宗經。至於師古與宗經的目的，不外祈求爲文能夠約簡辭達以及重振文學的教化功能。爲了達到上述兩種目的，自然便會壓抑文學修辭的發展。這種現象，自兩漢以後，便層出不窮。譬如西晉的摯虞在《文章流別論》中說：

> 古詩之賦，以情義爲主，以事類爲佐。今之賦，以事形爲本，以義正爲助。情義爲主，則言省而文有例矣；事形爲本，則言當而辭無常矣。文之煩省，辭之險易，蓋由於此。失假象過大，則與類相遠；逸辭過壯，則與事相違；辯言過理，則與義相失；麗靡過美，則與情相悖。此四者，所以背大體而害政教。是以司馬遷割相如之浮說，揚雄疾辭人之賦麗以淫。（《全晉文》卷七十七）

古詩之賦，由於「以情義爲主，以事類爲佐」，所以能夠「假象盡辭，敷陳其志」而達到言省辭達的境界。至於當時流行的賦體，則因以「事形爲本」，所以便出現「假象過大」、「逸辭過壯」、「辯言過理」、「麗靡過美」等四項缺失。依摯虞的這種論點看來，當時流行的「今賦」，不僅不如古詩之賦，而且還「背大體而害政教」。由此可見，摯虞是想壓抑西晉之時，賦體修辭過度發展的情形。除此之外，摯虞甚至還認爲，當時盛行的五言詩，非是雅音，《文章流別論》中云：「夫詩以情志爲本，而以成聲爲節。然則雅音之韻，四言爲正。其餘雖備曲折之體，而非音之正也。」這種壓抑文學修辭的論調，其實已經不顧文體的自然遞嬗了。

再看隋代李諤的主張。李諤在〈上隋高帝革文華書〉中有云：「臣聞古先哲王之化民也，必變其視聽，防其嗜欲，塞其邪放之心，示以淳和之路。五教六行，爲訓民之本；詩、書、禮、易，爲道義之門。……。其有上書獻賦，制誄鐫銘，皆以褒德序賢，明勳證理。苟非懲勸，義不徒然。」（《隋書》卷六十六〈李諤本傳〉）依此而論，李諤認定古人爲文，目的在於實用，也就是所謂「褒德序賢，明勳證理」。在此種認知中，對於「魏之三祖，更尙文詞，忽君人之大道，好雕蟲小藝。」（〈上隋高帝革文華書〉）便以爲乃「風教漸落」所產生的結果。以此推論，魏晉以後競騁文華的文學風尙，便不如注重實用的古人之文。李諤這種主張，顯是將今不如古的原因，歸諸於今人過度注重文華修飾所致。基於此因，李諤便想透過政治的力量，來壓抑文學修辭的發展。

入唐之後，由於陳子昂的標示文學復古，厭棄齊粱「彩麗競繁，興寄都無」的文學作品，於是壓抑文學修辭的發展，成了一種普遍的風尙。譬如柳冕即於〈與滑州盧大夫論文書〉中云：

> 夫文生於情，情生於哀樂，哀樂生於治亂。故君子感哀樂而爲文章，以知治亂之本。屈宋以降

則感哀樂而亡雅正，魏晉以還則感聲色而亡風教，宋齊以下則感物色而亡典致。教化興亡則君子之風盡，故淫麗形似之文皆亡國哀思之音也。（《全唐文》卷五二七）

柳冕此種推論，即是認爲文學修辭愈趨繁複華麗，離古代聖賢之道愈遠。所以宋齊之文不如魏晉，魏晉之文不如屈宋，屈宋之文不盡合古聖先王之教。換言之，古聖先王之教所以可貴，不在於華麗的修辭，而在於教化。在此種貴古賤今的主張下，當然不屑於華麗修辭的創製，〈與徐給事論文書〉中云：「自屈宋以降，爲文者本於哀艷，務於恢誕，亡於比興，失古義矣。雖揚馬形似，曹劉骨氣，潘陸藻麗，文多用寡，則是一技，君子不爲也。」（《全唐文》卷五二七）將「揚馬形似」「曹劉骨氣」、「潘陸藻麗」的特色，都一視同仁，以「文多用寡」爲由，全部予以排斥。由此可見，柳冕對於壓抑文學修辭發展決心之強烈。再如韓愈於〈答李師錫秀才書〉中云：「子之言以愈所爲不違孔子，不以雕琢爲工，將相從於此，愈敢自愛其道而以辭讓爲事乎！然愈之所志於古者，不惟其辭之好，好其道焉爾。」（《五百家注昌黎文集》卷十六）韓愈自云不僅學古人之辭，也學古人之道。而所謂古人云者，當然意指以孔子爲代表的古聖先賢，所以李秀才才會有「所爲不違孔子，不以雕琢爲工。」的贊詞。「所爲不違孔子」，自然是信守仁義忠信的道德節操；「不以雕琢爲工」，則是不以文字雕琢、修辭華麗爲能事。由此可見，韓愈也不贊同文學修辭的任意發展，而須以「不違孔子，不以雕琢爲工。」作爲創作規範。

宋代的石介，對於宋初以楊億爲主的「西崑體」大加抨擊，原因就是「西崑體」的爲文修辭，不尊六經之道而任由華麗修辭的發展表現。就石介的觀念而言，「西崑體」偏向華麗的修辭表現，是聖人之言、之道破碎蠹傷的徵象。爲了使天下人重見聖人之道的眞內涵，所以必須排斥「西崑體」的華麗修辭風氣。因而石介於〈上趙先生書〉中云：

今卿士大夫，垂紳曳組，森森布列，行義超然，直與唐比。獨斯文邈乎不可視於唐，居上者點畫語言，組織章句。如彼畫工，不知繪事後素以爲質，但誇其藻火之明、丹漆之多。如彼追師，不知良玉不琢以爲美，但誇其雕刻之工，文理之縟，載毫輦筆，窮山刊木，模刻其文字，布於天下，以爲後進式。……。目所常見，制作淫麗，文辭侈靡者，惟是不知前世有三代兩漢鉅唐之文之懿也。父訓其子，兄敎其弟，童而朱研其口，長而組繡於手，天下靡然成風，寖以成俗。吁！無變之者，有以待先生也；如唐之弊，變之待吏部也。（《徂徠集》卷十二）

在這篇文字中，石介意欲推舉趙先生爲主帥，爲壓抑彼時侈靡文辭風尙而共同奮鬥。細觀〈上趙先生書〉中之文，石介對當時侈靡文辭的風尙，可謂痛恨已極，務必除去而後快。

石介之後的宋代理學家，由於將文辭視爲玩物，而有「今爲文者，專務章句，悅人耳目；既務悅人，非俳優而何？」（《二程全書、遺書十八》錄程頤之語）的主張。在這種理學風氣之下，當然會有意地壓抑文學修辭的發展。譬如程門四大弟子之一的楊時，即嘗於〈與陳傳道序〉中批評韓愈：「若唐之韓愈，蓋嘗謂世無仲尼，不當在弟子之列，則亦不可謂無其志也。及觀其所學，則不過乎欲雕章鏤句，取名譽而止耳。」（《楊龜山集》卷四）連韓愈所學爲文，都被批評「欲雕章鏤句，取名譽而止耳。」其他文人的作品，就可想而知。基於此種觀點，楊時認爲當代文士「類皆分文析字，屑屑於章句之末；甚者廣記問，工言辭，欲誇多鬥靡而已；是烏用學爲哉！」（〈與陳傳道序〉）至於正確的爲學態度，則爲「舍六經亦何以求聖人哉？要當精思之，力行之，超然默會於言意之表，則庶乎有得矣！」（〈與陳傳道序〉）這種主張，已經不僅意在壓抑文學修辭的發展，而是根本否認文學修辭的必要性。明瞭理學家對於文學修辭的排斥看法之後，對於程頤批評杜甫「穿花蛺蝶深深見，點水蜻蜓款款飛」之詩爲閒言閒語（詳見《二程全書、遺書十八》中語），可以不作的言論，便無足訝異。

理學家這種鄙視文學修辭的主張，明初的文人仍然受其影響。譬如方孝儒在〈答王秀才書〉中批評韓愈謂：

> 漢儒之文，有益於世，得聖人之意者，惟董仲舒、賈誼。攻浮靡綺麗之辭，不根據於道理者，莫陋於司馬相如。退之屢稱古之聖賢文章之盛，相如必在其中，而董、賈不一與焉。其去取之謬如此，而不識其何說也。（《遜志齋集》卷十一）

在此篇文字中，方孝儒批評韓愈稱道司馬相如而遺漏董仲舒、賈誼，乃不識純正聖人之道的行爲。原因是司馬相如乃「攻浮靡綺麗之辭，不根據於道理者。」但是方孝儒又以爲：

> 然相如雖陋，其辭賦猶皆有爲而作，非虛語也。近世則不然，一室之微，號之以美名，輒從而文之。視其名，紛然雜出，皆古人之所未聞；考其辭，輕俳巧薄，皆古人之所未有。（〈答王

秀才書〉）

如此立論，顯然已有今不如古的慨嘆。至於如何改進今不如古的爲文缺失？方孝孺提出的方法是：

僕竊悲其陋，故斷自漢以下至宋，取文之關乎道德、政教者爲書，謂之《文統》，使學者習焉。違乎此者，雖工不錄，近乎此者，雖質不遺。庶幾人人得見古人文章之正，不眩惑於佹常可喜之論。袪千載之積蠹，爲六經之羽翼，作仁義之氣，擯浮華之習，以自進於聖人。（〈答王秀才書〉）

簡言之，方孝孺欲取自漢至宋以來，有關聖人之言的文章，錄爲《文統》，用作爲文者學習的規範。其目的在於「擯浮華之習，以自進於聖人。」由此可見，方孝儒也認爲，壓抑文學修辭的發展，有助於古聖先賢之道的回復。

經由以上論述，可以發現，中國文學思想史中，所以存在著壓抑文學修辭發展的現象，和復古者爲文尊崇六經，所導致的貴古賤今文學主張有關。就復古者而言，文學修辭如果不予以壓抑，而任由發展蔓延，則離聖人之道愈遠而有傷教化。在這種認知下，凡是辭藻華麗、刻意鍛鍊的作品，便甚少受到鼓勵與肯定，譬如宋人張戒於《歲寒堂詩話》中所言：

王介甫只知巧語之爲詩，不知拙語亦詩也。山谷只知奇語之爲詩，而不知常語亦詩也。歐陽公詩，專以快意爲主。蘇端明詩，專以刻意爲工。李義山詩，只知有金玉龍鳳。杜牧之詩，只知有綺羅脂粉。李長吉詩，只知有花草蜂蝶而不知世間一切皆詩也。（卷上頁十）

文中所舉諸位詩人，幾全爲中國詩史上留名之大家。連這些詩中名家都遭受此種譏評，他人可想而知。由於這種對文學修辭的壓抑，於是出現在中國文學作品中的內涵，便偏向古樸、幽美的情境，而少浪漫、雄偉的風格。就文學的功能而言，實用性便大於藝術性。這種現象，可以謂爲中國文學的特色，但是同時也是一項缺憾。鑑往知來，如何在未來的中國文學中，發展出幽美與壯美並重的情境，且在文學實用性與藝術性間取得平衡的新特色，是一個值得深思的問題。

第二節　擬古文學風尚的衍生

中國文學復古理論的提倡者，既然力主爲文必須宗經師古而壓抑文學修辭的發展，擬古文學風尚的衍生便無法避免。早自西漢的揚雄，便强調文學擬古的主張，其〈答桓譚書〉中云：「長卿賦不似從人間來，其神化所至邪？大諦能讀千賦，則能爲之。諺云：『伏習眾神，巧者不過習者之門。』」（《全漢文》卷五二）意謂熟讀千賦，自能得其巧而創作。在此種觀點支持下，揚雄先後模仿《周易》作《太玄》，模仿《論語》作《法言》，模仿〈倉頡篇〉作〈訓纂〉，模仿〈虞箴〉作〈州箴〉。可謂中國文學史上第一位擬古大師。

不過就揚雄而言，所模仿的只是古書的體裁與思想，至於文辭則頗有獨創之處。由於這個原因，後代的文學復古者，經常會以文如揚雄作爲贊語。譬如唐代的盧藏用推崇陳子昂之語云：「尤善屬文，雅有相如、子雲之風骨。」（〈陳子昂別傳〉、《全唐文》卷二三八）至於韓愈對於揚雄，更是推崇備至，其〈與馮宿論文書〉中云：

昔揚子雲著太玄，人皆笑之。子雲之言曰：「世不我知無害也，後世復有揚子雲，必好之矣。」子雲死近千載，竟未有揚子雲，可歎也。其時桓譚亦以雄書勝老子，老子未足道也，子雲豈止與老子爭彊而已乎，此未爲知雄者。（《朱文公校昌黎文集》卷十七）

這種對於揚雄作品的推崇與肯定，可以見出揚雄擬古的模式，爲後代文人所接受。陳子昂的「不圖正始之音，復覩於斯。」（〈與東方左史虬修竹篇序〉中語）與韓愈的「師其意，不師其辭。」（〈答劉正夫書〉中語）其中含意，實與揚雄擬古取其體裁、思想，不襲其文辭的情況相似。不過這種現象，到了明代卻有所轉變。

原來文學擬古欲求只「師其意，不師其辭」，並非易事。因爲所謂的「意」，或爲作者之思想，或指文學作品所顯現的氣象格調。而不論思想或氣象格調，都屬抽象而無法具體形容，只能單憑讀者自行領會感受。在此種情況下，欲充分瞭解古人作品中之「意」，並加以體會模擬，最速捷的方式，就是從中歸納其法。然而法自何來？當然自古人的著作文辭中得來。因此，擬古者若過於執著循法以擬古，先學到的必爲古人作品的文辭，也就是形式，而非古人之「意」。明代文學的擬古，正是深中此弊。譬如李夢陽於〈答周子書〉中有云：

僕少壯時，振翮雲路，嘗周旋鵷鸞之末，謂學不的古，苦心無益。又謂文必有法式，然後中諧

音度。如方圓之於規矩，古人用之，非自作之，實天生之也。今人法式古人，非法式古人，實物之自則也。（《空同集》卷六十一）

文中「學不的古，苦心無益」一語，已經抹煞了作者匠心獨運的創作能力。因此，若欲為文，唯一的方法便是法式古人。至於古人為文之法所何而來？李夢陽以為乃天生而非由古人自訂。古人為文之法既然起於天生，則今人法式古人之法，便被視為是效法自然的法則。在這種主張中，為文遵循古人的法式，成為一種自然而不可抗拒的途徑。既是如此，對古人為文的法式，便形成尺尺寸寸，守而勿失的模擬心態。儘管李夢陽嘗於〈駁何氏論文書〉中云：

僕之尺尺而寸寸之者，固法也。假令僕竊古之意，盜古形，剪截古辭以為文，謂之影子誠可。若以我之情，述今之事，尺寸古法，罔襲其辭，猶班圓倕之圓，倕方班之方，而倕之木，非班之木也。此奚不可？（《空同集》卷六十一）

就表面的文字而言，所謂「以我之情，述今之事，尺寸古法，罔襲其辭」，似乎亦無可非議。但是李夢陽所強調的古法，是從古文的「翕闢頓挫，尺尺而寸寸之」中尋求而來（〈駁何氏論文書〉中語）；古文的翕闢頓挫，皆可以作為法式來規模效擬，對於法的認知，便只是「大抵前疎者後必密，半闊者半必細，一實者必一虛，疊景者意必二。」（〈再與何氏書〉、《空同集》卷六十一）如此一來，對於古人之法模擬的重視程度，已經遠超過本身的創作。因而〈再與何氏書〉中云：

夫文與字一也，今人模臨古帖，即太似不嫌，反曰能書。何獨至於文，而欲自立一門戶邪？自

立一門戶，必如陶之不冶，冶之不匠，如孔之不墨，墨之不揚邪？此亦足以類推矣。（《空同集》卷六十二）

這種內容，是公開宣稱，爲文須尺寸模擬古人，不得自立門戶。因此，所謂「尺寸古法，罔襲其辭」，便流爲一種空言。因爲「尺寸古法」的結果，所學到的正是古人的文辭而已。如李夢陽的〈離憤五首正德戊辰年五月作，是時閹瑾知劾章出我手矯旨收詣詔獄〉和〈述憤一十七首弘治乙丑年四月作，是時坐劾壽侯逮詔獄〉（皆見《空同集》卷十）等作品，皆胸中悲憤情懷的展示，但是李夢陽如何透過文辭來表現？各舉一例如下：

練練晨明月，鬱鬱風中柳。蒼茫遮我車，識是平生友。感君故意勤，贈我雙瓊玖。虎狼夾衡軛，狐狸草間走。東方漸發白，聊歸匆爲久。天威煽方處，君子毖其口。（〈離憤五首〉之二）

帝居杳何許，蒼蒼隔九閽。白玉爲阿閣，黃金爲重門。可望不可攀，仰見飛雲奔。何當發炎旭，下照孤葵根。（〈述憤〉十七首之二）

諸如此類詩作，如果無有詩題，亦不知作者爲誰，人必以爲乃漢、魏之際的作品，可謂爲「尺寸古法，罔襲其辭」乎？

李夢陽此種主張，當時的何景明已頗有微詞，並曾於〈與李空同論詩書〉中批評：「今爲詩不推類極變，開其未發，泯其擬議之跡，以成神聖之功。徒敘其已陳，修飾成文，稍離舊本，便自杌隉。如小兒倚物能行，獨趨顛仆。」（《何大復先生集》卷三十二）但是彼時李夢陽文名如日中天，且爲文擬議古人已成風尚，根本不可改變。待後七子中的王世貞出，雖仍奉李夢陽以為宗，不過對其擬古之法似乎已有修正。譬如王世貞即曾於所著《藝苑卮言》卷一中云：

李獻吉勸人勿讀唐以後文，吾始甚狹之，今乃信其然耳。記聞既雜，下筆之際，自然於筆端攪擾，驅斥為難。若模擬一篇，則易於驅斥，又覺局促，痕跡宛露，非斲輪手。自今而後，擬以純灰三斛，細滌其腸，日取六經、周禮、孟、老、莊、列、荀、國語、左傳、戰國策、韓非子、離騷、呂氏春秋、淮南子、史記、班氏漢書，西京以還至六朝韓柳，便須詮擇佳者，熟讀涵泳之，令其漸漬汪洋，遇有操觚，一師心匠。氣從意暢，神與境合，分途策馭，默受指揮，臺閣山林，絕迹大漠，豈不快哉。世亦有知是古非今者，然使招之而後來，麾之而後卻，已落第二義矣。（頁九—十）

由此篇文字中，可以看出，王世貞雖信服李夢陽「勿讀唐以後文」說的主張，但是對於擬古的方式，與李夢陽的尺寸古法略有不同，王世貞的方法是「熟讀涵泳之，令其漸漬汪洋，遇有操觚，一師心匠。」這種主張，雖然仍是擬古，但是已經重視作者出自心匠的創作能力。基於此因，王世貞才會批評李夢陽說「擬樂府自魏而後有逼眞者，然不如自運。」（《藝苑卮言》卷六頁五）換言之，王世貞以為李夢陽所作的擬古樂府，雖然肖似逼眞，是卻不如其他心匠自運的作品。

儘管王世貞對擬古的方式，與李夢陽略有不同，但是遵循古人為文之法來創作的觀念，並無兩樣。譬如《藝苑卮言》卷二中，摘錄許多詩經中章語，並謂：

詩旨有極含蓄者、隱惻者、緊切者，法有極婉曲者、清暢者、峻潔者、奇詭者、玄妙者，騷賦古選樂府歌行，千變萬化，不能出其境界。吾故摘其章語，以見法之所自。其鹿鳴、甫田、七月、文王、大明、綿、棫樸、旱麓、思齊、皇矣、靈臺、下武、文王、生民、既醉、鳧鷖、假樂、公劉、卷阿、烝民、韓奕、江漢、常武、清廟、維天、烈文、昊天、我將、時邁、執競、思文，無一字不可法，當全讀之，不復載。（頁三—四）

如此苦心摘錄詩經中語，並謂其中有可學之法，及「無一字不可法」，可見王世貞為文作詩的主張，仍然是以古為式，不過不如李夢陽之尺寸古法而已。

這種擬古的文學創作風氣，也是源自於貴古賤今的文學觀。王世貞即曾於《藝苑卮言》謂：

嗚呼！子長不絕也，其書絕矣。千古而有子長也，亦不能成史記，何也？西京以還，封建、宮殿、官師、郡邑，其名不雅馴，不稱書矣，一也。其詔令、辭命、奏書、賦頌，鮮古文，不稱書矣，二也。其人有籍、信、荊、聶、原、嘗、無忌之流，足模寫乎？三也。其詞有尚書、毛詩、左氏、戰國策、韓非、呂不韋之書，足薈蕞者乎？四也。嗚呼！豈惟子長，即尼父亦然，六經無可著手矣。（卷三頁二）

依照王世貞此種觀念，則後人所為之文，便永遠不及古人，因為無論事類、地名或人物，必會隨世更迭轉換，豈有永恒不變之理，明代的擬古者，由於此種忽略時代變通與文學思潮演變的觀念，因而給予後人「擬議以成其臭腐」譏斥的口實（錢謙益《列朝詩集小傳》丁集上評李攀龍語）。雖然此種譏斥未必適當，但也可以見出，明代擬古的文學風尚，不爲後人接受的事實。

經由以上論述，可以發現貴古賤今文學觀念的形成，對於中國文學的發展，有著相當不利的影響。因爲由此種觀念引發的擬古風尚，與對文學修辭壓抑的觀念，會阻礙文學作家創造、想象力的萌生，而有害於文學藝術性的自由發展。如何鑑古知今，避免誤蹈此一覆轍，乃是所有文學研究者責無旁貸的課題。

第二章　造成文學派別的傾軋

文學形成派別，原是極爲自然之事。蓋因文學作品乃是作者思想、心聲的展現，各個時代作者不同，呈顯於作品中的面貌當然有異。比如詩經的樸實、親切，楚辭的浪漫、誇飾，除了因地域環境不同而呈現相異的面貌之外，作者不同的心境及思想，也是造成詩經、楚辭內涵有異的重要因素。自此而後的作者，亦是各具面貌，各有特色。例如杜甫的沈鬱頓挫，李白的飛揚跋扈，王、孟的沖澹恬適，杜牧、李商隱的深婉濃麗，無一不是作者個人心境的最佳映現。後代學者，如依個性興趣喜好，選擇上述與己習性相近的前輩文人，作爲學習創作的典範，時間積累日久，自然衍成學派。所以說文學形成派別，實是無足奇怪。

文學形成派別的情況，既是極其自然，何以在中國文學復古風氣的推演過程中，經常造成文學派別的傾軋現象？原來中國文學復古風氣的倡導者，若非主張文必原道、宗經，即是强調爲文須以古人爲法。主張文必原道、宗經者，自然承受孟子的影響，凡與孔子思想、六經內容不合者，必視爲淫辭、邪說而力闢之。强調爲文須以古人爲法者，必因貴古賤今的文學觀念，而排斥近代之文。基於上述因素，文學派別的傾軋，便成爲中國文學復古風氣中，不可避免的現象。以下便分二節來申論。

第一節　尊道統、闢異端的文學論爭現象

中國儒家尊道統、闢異端的思想，早自孟子就已出現。《孟子、滕文公下》中云：

楊墨之道不息，孔子之道不著，是邪說誣民，充塞仁義也。仁義充塞，則率獸食人，人將自食，吾爲此懼。閑先聖之道，距楊墨，放淫辭，邪說不得作；作於其心，害於其事；作於其事，害於其政。聖人復起，不易吾言矣。……。我亦欲正人心，息邪說，距詖行，放淫辭，以承三聖（案：指禹、周公、孔子）者。豈好辯哉！予不得已也。能言距楊墨者，聖人之徒也。

孟子此段文字，明白指出「能言距楊墨者，聖人之徒也。」蓋因楊墨之流，其說與孔子之道不合，是爲異端。此異端若不闢除，則孔子之道不著。此種思想，影響後來復古者甚鉅。蓋因中國文學復古風氣的提倡者，往往强調，文必原道、宗經與徵聖；因此，凡爲文與此不合者，率皆被目爲異端而須予以排斥。即以韓愈而言，就曾因戲爲與聖人之道無關的駁雜無實之說，而遭到張籍的糾正。張籍在〈與韓愈書〉中云：

比見執事尚駁雜無實之說，使人陳之於前以爲歡，此有以累於令德。……。先王存六藝，自有

常矣，有德者不爲益以爲損，況爲博塞之戲，與人競財乎？君子固不爲也。今執事爲之，以廢棄時日，竊實不識其然。且執事言論文章，不謬於古人，今所爲，或有不出於世之守常者，竊未爲得也。願執事絕博塞之好，棄無實之談，弘廣以接天下之士，嗣孟軻、揚雄之作，辯楊墨老釋之說，使聖人之道，復見於唐，豈不尚哉！（《張司業集》卷八）

張籍此種對於韓愈提出糾正的內容，可以視爲復古者爲尊崇聖人之道而排闢異端的代表。韓愈偶爲與聖人之道無關之論，已遭受如此指責，他人更可想而知。此種尊道統而闢異端的現象，逐次演變，入宋以後，益形激烈，終於演變成派別之爭。

首先是石介對以楊億爲主的西崑體，發出激烈的指責，其〈答歐陽永叔書〉中云：

今天下爲佛老，其徒嚚嚚乎聲附合應，僕獨挺然自持吾聖人之道。今天下爲楊億，其衆嘵嘵乎一倡百和，僕獨確然自守聖人之經。凡世之佛老楊億者，僕不惟不爲，且常力擯斥之。（《徂徠集》卷十五）

石介於此文中，將楊億與佛老之徒相提並論，且常極力擯斥，原因即在於以楊億爲主的西崑體作者，離析、破碎聖人之道，致被石介目爲異端。不過西崑體既然已「變天下正聲四十年」（〈與君貺學士書〉中語、《徂徠集》卷十五），盤據勢力必然不可輕視，石介意欲闢除，結果如何？其〈送張勣李常序〉中有云：

孔子之大道爲異端侵害，不容於世，實三千年。……予不自揣度，乃奮獨力宣斥其人而攻之，

我寡彼眾，反攻予者，日以千數。一日之內，虎動吻而狼磨牙，賴聖君天覆地容，得免於禍。（《徂徠集》卷十八）

由此可見，石介為尊道統，摒斥西崑體固然不遺餘力；然而西崑體門徒，反噬亦十分強烈。因而石介方有「一日之內，虎動吻而狼磨牙」的形容。

不過石介為了排斥西崑體的華麗淫辭，所倡導的僻澀文風，最後也因偏離古道而遭受指責。宋人張方平即曾於〈貢院請誡勵天下舉人文章〉中云：

臣聞文章之變，蓋與政通，風俗所形，斯為教本，國體攸繫，理道存焉。……。自景祐元年，有以變體而擢高第者，後進傳效，因是以習，爾來文格，日失其舊，各出新意，相勝為奇。至太學之建直講石介，課諸生試所業，因其所好尚而遂成風，以怪誕詆訕為高，以流蕩猥煩為贍，逾越規矩，或悞後學。朝廷惡其然也，故下詔書，丁寧誡勵，而學者樂於放逸，罕能自還。……。其舉人程試，有擅習新體而尤誕漫不合程試者，已準格考落外。竊慮遠人未盡詳之，伏乞朝廷申明前詔，更於貢院前牓示，使天下之士，知循常道。（《樂全集》卷廿）

細觀此文，張方平顯然認定，石介於太學中所倡文風，已失教化之本，有流於怪誕、猥煩之弊，故而建議，「其舉人程試，有擅習新體而尤誕漫不合程試者，已準格考落外」。這種建議，已是視石介所倡文風為異端。石介為尊道統，故斥楊億為異端；然而本身所倡古文，因為流於僻澀怪誕，又被視為不合道統教化之本而遭受排斥。其間過程，直可耐人尋味。東坡嘗於〈上歐陽內翰書〉中謂：

竊以天下之事，難於改爲。自昔五代之餘，文教衰落，風俗靡靡，日以塗地。聖上慨然太息，思有以澄其原，疏其流，明詔天下，曉諭厥旨。於是招來雄俊魁偉敦厚朴直之士，罷去浮巧輕媚叢錯采綉之文，將以追兩漢之餘，而漸復三代之故。士大夫不深明天子之心，用意過當，求深者或至於迂，務奇者怪僻而不可讀。餘風未殄，新弊復作，大者鏤之金石，以傳久遠，小者轉相模寫，號稱古文，紛紛肆行，莫之或禁。（《經進東坡文集事略》卷四十一）

其中所謂「用意過當，求深者或至於迂，務奇者怪僻而不可讀」即指石介而言。由此看來，石介雖以尊道統爲號召，視楊億爲異端而予以排斥。但是在其他古文家的眼中，石介所爲之文，有求新務奇之弊，而非兩漢三代之餘，故而東坡有「餘風未殄，新弊復作。」之言。明瞭此中緣由，對於張方平指責石介之言，便能理解。

再來看朱熹對於東坡的指斥。

朱熹所以指斥東坡，主要起於反對東坡離文與道爲二，其言謂：

道者，文之根本，文者，道之枝葉。惟其根本乎道，所以發之於文，皆道也。三代聖賢文章，皆從此心寫出，文便是道。今東坡之言曰：「吾每謂文，必與道俱。」則是文自文而道自道，待作文時，旋去討箇道來入放裏面，此是它大病處。（〈論文〉上、《朱子語類》卷一三九）

在此段文字中，朱熹以爲道乃文之根本，只要根本乎道，即自然成文。這種觀念，已不僅是尊道，而是認爲「文皆是從道中流出」（〈論文〉上、《朱子語類》卷一三九答才卿問語）。由此觀念出發，朱熹當然反對文士作文，而贊同程頤所謂有高才能文章爲人生三不幸之一（詳見〈程子之書三〉、《朱子語類》卷九十七）。因此，就朱熹而言，東坡「吾所謂文，必與道俱」的論點，自然被視爲異端而須予以闢除。因此朱熹於〈與汪尚書〉中云：

> 去春賜教，語及蘇學，以爲世人讀之，止取文章之妙，初不於此求道，則其失自可置之。夫學者之求道，固不於蘇氏之文矣！然既取其文，則文之所述，有邪有正，有是有非，是亦皆有道焉，固求道者之所不可不講也。講，去其非以存其是，則道固於此乎在矣，而何不可之有？若曰惟其文之取而不復議其理之是非，則是道自道、文自文也。道外有物，固不足以爲道；且文而無理，又安足以爲文乎？蓋道無適而不存者也。故即文以講道，則文與道兩得而一以貫之，否則亦將兩失之矣。中無主，外無擇，其不爲浮誇險詖所入而亂其知思者幾希！況彼之所以自任者，不但文章而已。既亡以考其得失，則其肆然而談道德於天下，夫亦孰能禦之？（《朱子大全》卷三十）

文中排斥東坡的理由，仍是從「道自道，文自文」一語出發。朱熹以爲凡文之所述，皆有正有邪，有是有非，而此種文中所傳達出來的正邪是非，都代表作者心中所信奉的思想。因此，學者如果想由其中學到純正儒家的道統思想，就必須去其非以存其是。就朱熹的認知而言，東坡的文章縱然有可取之處，但是所傳達之道卻十分可議，如若不予以指摘，則將危害純正的道統思想。所謂「既亡以考其得失，則其肆然而談道德於天下，夫亦孰能禦之？」的批評，可謂激切非常。東坡文中所傳之道既然可議，朱熹便一併指其所爲之文爲空言，朱熹〈答程允夫〉中云：

蘇氏議論，切近事情，固有可喜處，然亦譎矣！至於衒浮華而忘本實，貴通達而賤名檢，此其爲害，又不但空言而已。然則其所謂可喜者，考其要歸，亦未免於空言也。(《朱子大全》卷四十一)

要而言之，東坡之文非由道出，因此被朱熹視爲空言。

經由以上論述，可以發現，中國文學思想史上所以會出現文學論爭的現象，和中國自孟子開始的尊道統、闢異端的觀念，有著密不可分的關係。不過自孟子之後，所謂道統和異端的認知，卻隨著不同的時代背景和文學思潮而有所改變。譬如石介爲尊道統而斥楊億爲異端，所倡文風，卻被張方平譏爲怪誕，東坡更以爲乃西崑體之後的新弊。至於東坡，由於主張文與道俱，致遭朱熹指爲空言。凡此種種，皆可見出，尊道統、闢異端的文學論爭，雖可轉移一時的文學風尚，但是對文學的藝術生命而言，卻是助少害多，不值倣效。

第二節　擬古風氣引發的爭議

中國文學復古風氣中出現的擬古文學習尚，由於强調爲文須以古人爲法，不可稍有逾越。因此，凡是與此主張違背者，大多遭受嚴厲的擯斥。然而爲文尺寸古法，流弊易見，故而反對聲浪亦大。於是，擬古與反擬古間，便形成一股相互排斥的文學論爭現象。此一現象，尤以明代最爲盛行，郭紹虞嘗於〈明代文學批評的特徵〉一文中解釋說：

我總覺得明人的文學批評，有一股潑辣辣的霸氣。他們所持的批評姿態，是盛氣凌人的，是抹煞一切的。因其如此，所以只成爲偏勝的主張；而因其偏勝，所以又需要劫持的力量。這二者是互爲因果的。因其有劫持的力量，所以容易博取一般人的附和；而同時也因其得一般人的附和，所以隨聲逐影，流弊易見，而也容易引起一般人的反抗。我們統觀明代的文學批評史，差不多全是這些此起彼仆的現象。易言之，一部明代文學史，殆全是文人分門立户標榜攻擊的歷史。（《照隅室古典文學論集》頁三三七，此書爲台北丹青圖書有限公司七十四年十月一版。）

郭紹虞此種說法，可謂十分中肯。明代的文學批評何以會出現盛氣凌人、抹煞一切的現象？簡言之，乃太過拘泥於崇古的文學主張所致。且看王世貞於《藝苑卮言》卷三中之言：

西京之文實，東京之文弱，猶未離實也。六朝之文浮，離實矣。唐之文庸，猶未離浮也。宋之文陋，離浮矣，愈下矣。元無文。

如此的論文主張，正如郭紹虞所云：「有一股潑辣辣的霸氣」。在此種盛氣凌人的批評心態中，自然湧生不容異己的偏執觀念，即連意見不合的同道，亦不例外。譬如李夢陽之訾何景明，即是緣出此因。就何景明〈與李空同論詩書〉中的主張而言，並無反對擬古的言論，而僅是建議擬古須「捨筏則達岸，達岸則捨筏矣」，也就是勿停留於古文的尺寸之間（見《大復集》卷卅二）此種建議，原屬通達之論，然而李夢陽不僅於〈駁何氏論文書〉、〈再與何氏書〉中再三駁斥（皆見《空同集》卷六十一），又於〈答周子書〉中譏云：

今人法式古人，非法式古人也，實物之自則也。當是時，篤行之士，翕然臻向，弘治之間，古學遂興。而一二輕俊，恃其才辯，假舍筏登岸之說，扇破前美。稍稍聞見，便橫肆譏評，高下古今。謂文章家必自開一戶牖，自築一堂室；謂法古者蹈襲，式往者爲影子，信口落筆者爲泯其比擬之跡。而後進之士，悅其易從，憚其難趨，乃即附唱答響，風成俗變，莫可止遏，而古之學廢矣。（《空同集》卷六十一）

這種駁斥的內容，已非就事論事，而是爲維護一己的擬古理念而強辯。明代擬古陣營中的自相齟齬，又不僅李夢陽與何景明，後七子的李攀龍與王世貞，合力排斥原屬同道的謝榛，情況如出一轍。譬如謝榛嘗云：

杜子美詩「日出籬東水，雲生舍北泥。竹高鳴翡翠，沙僻舞鵾雞。」此一句一意，摘一句，亦成詩也。蓋嘉運詩：「打起黃鶯兒，莫教枝上啼。啼時驚妾夢，不得到遼西。」此一篇一意，摘一句，不成詩矣。（《四溟詩話》卷一頁二）

王世貞對謝榛此種言論，於《藝苑巵言》中駁云：

謝茂秦論詩，五言絕以少陵「日出籬東水」作詩法；又宋人以「遲日江山麗」爲法，此皆學究教小兒號嗄者。若「打起黃鶯兒，莫教枝上啼。啼時驚妾夢，不得到遼西。」與「山中何所有，嶺上多白雲。只可自怡悅，不堪持贈君。」一法，不惟語意之高妙而已，其篇法圓緊，中間增一字不得，著一意不得，起結斬絕。然中自紆緩，無餘法而有餘味。（卷四頁九—十）

細讀謝榛之語，只是指出杜甫「日出籬東水」之作，全篇成詩，摘一句亦成詩；至於蓋嘉運「打起黃鶯兒」詩，摘句則不成詩。其中並無欲以杜甫「日出籬東水」一詩，作爲五絕創作之法的含意。然而王世貞爲了排斥謝榛，卻不惜扭曲其原意來譏評。除此之外，王世貞又於《藝苑卮言》卷七中譏斥謝榛云：

> 謝茂秦年來益老詩，嘗寄示擬李杜長歌，醜俗稚鈍，一字不通，而自爲序，高自稱許。其略云：「客居禪宇，假佛書以開悟，暨觀太白、少陵長篇，氣充格勝，然飄逸沈鬱不同，遂合之爲一。入乎渾淪，各塑其像，神存兩妙，此亦攝精奪髓之法也。」此等語何不以溺自照？（頁七—八）

其中「何不以溺自照」一語，已近乎村夫之叫罵。王世貞所以如此排斥謝榛，則是受李攀龍的影響。李攀龍曾於〈戲爲絕謝茂秦書〉中，極力醜詆謝榛，文末更云：「爾若惠顧二三兄弟，無敢微亂，則我之願也。爾若不施大惠，于鱗不佞二三兄弟，愛才久矣，豈其使一眇君子，肆於二三兄弟之上，以從其淫而散離眤好，棄天地之性，必不然矣。」（《滄溟集》卷二十五）意在削謝榛名於七子、五子之外。王漁洋於《四溟詩話》前序中云：「諸人作五子詩，咸首茂秦而于鱗次之。已而于鱗名益盛，茂秦論文，頗相鐫責，于鱗遺書絕交，元美諸人咸右于鱗，交口排茂秦，削其名於七子、五子之列。

」可見李攀龍、王世貞所以合力排斥謝榛，實是不容異己的偏執觀念所致。

明代擬古文學風氣者，由於具有此種近乎獨裁的崇己抑人觀念，因此遭受的反擊亦大。與後七子同時的歸有光，即曾於〈項思堯文集序〉中批評說：

蓋今世之所謂文者，難言矣。未始爲古人之學而苟得一二妄庸人爲之巨子，爭附和之，以詆排前人。韓文公云：「李杜文章在，光燄萬丈長，不知群兒愚，那用故謗傷。蚍蜉撼大樹，可笑不自量。」文章至于宋元諸家，其力足以追數千載之上而與之頡頏，而世直以蚍蜉撼之，可悲也。無乃一二妄庸人爲之巨子，以倡導之歟！」（《震川集》卷二）

文中指斥的妄庸巨子，錢謙益以爲即是王世貞（詳見《初學集》卷八十三〈題歸太僕文集〉）。歸有光在此篇文字中，明白地肯定遭受擬古派鄙視的宋元文章的地位，而以韓愈〈調張籍〉詩中的「蚍蜉撼大樹」一語，來譏斥擬古派。自此而後，反對擬古派者，便有倡導宋元文學與之抗衡的風尙。錢謙益於〈陶仲璞遯園集序〉中云：「萬曆之季，海內皆訾王李，以樂天、子瞻爲宗。」（《初學集》卷三十一）可見彼時反對擬古者，爲了另樹門戶，故而在盛唐、秦漢之後，別立白居易與蘇軾爲宗祖的情況。錢謙益甚至謂公安三袁「從眉山起手，眼明手快，能一洗近代窠臼。」（《有學集》卷卅九〈復遵王書〉）擬古文學風氣至此，遂一蹶不振。入清後，文人更莫不以批駁擬古派爲能事。

經由以上論述，可以發現明代文學所以出現派別的傾軋，和擬古風氣引發的相互排斥的文學論爭，關係極鉅。由於此類派別論爭的重點，在於排除異己，以取得文壇獨尊的地位。因此在論辯過程中，往往流於意氣的指斥而非理性的析辯。這種現象，可說是復古風氣對中國文學最負面的影響。因爲在兩方各自堅持本身的理論立場之時，原爲具有豐富生命的文學藝術，已經成爲死板而不可易的條文規矩。有志從事文學研究、創作工作者，在明瞭此種弊端之後，應該知所警惕。

重要參考書目

一、詩文集

楚辭章句　漢・王逸撰，四庫全書本。
揚子雲集　漢・揚雄撰，四庫全書本。
陳拾遺集　唐・陳子昂撰，四庫全書本。
陳伯玉文集　唐・陳子昂撰，臺北商務印書館所印四部叢刊本。
毘陵集　唐・獨孤及撰，梁肅編，四庫全書本。
蕭茂挺文集　唐・蕭穎士撰，四庫全書本。
李遐叔文集　唐・李華撰，四庫全書本。
五百家注昌黎文集　唐・韓愈撰，宋・魏仲舉編，四庫全書本。
朱文公校昌黎先生集　唐・韓愈撰，臺北商務印書館所印四部叢刊本。
柳河東集　唐・柳宗元撰，臺北中華書局所印四部備要本，民國五十五年三月一版。
張司業集　唐・張籍撰，四庫全書本。

皇甫持正集　唐・皇甫湜撰，四庫全書本。
白氏長慶集　唐・白居易撰，四庫全書本。
樊川文集　唐・杜牧撰，四庫全書本。
河東集　宋・柳開撰，張景編，四庫全書本。
小畜集　宋・王禹偁，四庫全書本。
穆參軍集　宋・穆修撰，四庫全書本。
范文正集　宋・范仲淹撰，四庫全書本。
河南集　宋・尹洙撰，四庫全書本。
孫明復小集　宋・孫復撰，四庫全書本。
徂徠集　宋・石介撰，四庫全書本。
歐陽文忠公集　宋・歐陽修撰，臺北商務印書館所印四部叢刊本。
樂全集　宋・張方平撰，四庫全書本。
嘉祐集　宋・蘇洵撰，四庫全書本。
溫國文正司馬公文集　宋・司馬光撰，臺北商務印書館所印四部叢刊本。
楊龜山集　宋・楊時撰，臺北新文豐出版公司民國七十四年初版。
遺山集　金・元好問撰，四庫全書本。

宋文憲公全集　明．宋濂撰，臺北中華書局所印四部備要本，民國五十五年三月一版。

遜志齋集　明．方孝孺撰，臺北中華書局所印四部備要本，民國五十五年三月一版。

空同集　明．李夢陽撰，四庫全書本。

大復集　明．何景明撰，四庫全書本。

震川集　明．歸有光撰，四庫全書本。

滄溟集　明．李攀龍撰，四庫全書本。

牧齋初學集、有學集　清．錢謙益撰，臺北商務印書館所印四部叢刊本。

魏叔子文集　清．魏禧撰，臺北商務印書館六十二年初版。

方望溪先生全集　清．方苞撰，臺北商務印書館所印四部叢刊本。

二、詩文總集

昭明文選　梁．蕭統編選，唐．李善注，臺北文化圖書公司民國六十二年一月再版。

唐文粹　宋．姚鉉編，臺北世界書局民國七十七年印行。

文章正宗　宋．眞德秀編，四庫全書本。

明文衡　明．程敏政編，四庫全書本。

全唐詩　清聖祖敕編，臺北文史哲出版社民國六十七年印行。

全唐文及拾遺　清・董誥等奉敕編，清・陸心源補輯拾遺，臺北大化書局民國七十六年初版。
全上古三代秦漢三國六朝文　清・嚴可均輯，臺北世界書局民國五十年印行。
全漢三國晉南北朝詩　清・丁仲祜編，臺北藝文印書館民國六十四年九月三版。
詞選二卷　清・張惠言編選，臺北世界書局民國四十五年初版。

三、詩話

古今詩話叢編（容齋詩話等三十三種）　廣文編譯所編，臺北廣文書局印行。
古今詩話續編（詩話總龜等三十六種）　廣文編譯所編，臺北廣文書局印行。
歷代詩話　清・何文煥編訂，臺北藝文印書館民國六十三年四月三版。
續歷代詩話　清・丁仲祜編訂，臺北藝文印書館民國六十三年四月三版。
清詩話　清・丁仲祜編訂，臺北藝文印書館民國六十六年五月再版。
清詩話續編　郭紹虞編，臺北藝文印書館民國七十四年九月初版。
古代詩話精要　趙永紀編，天津古籍出版社一九八九年九月一版。

四、通論專著

荀子　周・荀況撰，唐・楊倞注，四庫全書本。

鹽鐵論　漢・桓寬撰，四庫全書本。
楊子法言　漢・揚雄撰，四庫全書本。
潛夫論　漢・王符撰，四庫全書本。
十三經注疏　漢・鄭玄注，唐・孔穎達疏，臺北藝文印書館印行。
論衡　漢・王充撰，四庫全書本。
洛陽伽藍記　後魏・楊衒之撰，四庫全書本。
文心雕龍注　梁・劉勰撰，范文瀾注，臺北開明書店民國六十二年十月十一版。
弘明集　梁・釋僧祐編，四庫全書本。
顏氏家訓　北齊・顏之推撰，臺北中華書局所印四部備要本，民國五十五年三月一版。
中說　隋・王通撰，四庫全書本。
史通　唐・劉知幾撰，四庫全書本。
封氏聞見記　唐・封演撰，四庫全書本。
唐會要　宋・王溥編，四庫全書本。
唐大詔令集　宋・宋敏求編，四庫全書本。
周子通書　宋・周敦頤撰，臺北中華書局所印四部備要本，民國五十五年三月一版。
二程全書　宋・程頤、程顥撰，臺北中華書局所印四部備要本，民國五十五年三月一版。

冷齋夜話　宋・釋惠洪撰，四庫全書本。
容齋隨筆、續筆　宋・洪邁撰，四庫全書本。
宋朝事實　宋・李攸撰，四庫全書本。
朱子大全　宋・朱熹撰，臺北中華書局所印四部備要本，民國五十五年三月一版。
朱子語類　宋・朱熹撰，臺北文津出版社民國七十五年初版。
明神宗實錄　中央研究院歷史語言研究所校印。
閱微草堂筆記　清・紀昀撰，臺北新興書局民國四十五年初版。
常談　清・陶福履述，臺北新文豐出版公司民國七十三年印行之叢書集成新編第三十一冊。
中國文學批評史　郭紹虞撰，臺北文匯堂五十九年十一月初版。
中國文化史　陳登原撰，臺北世界書局民國六十四年六月三版。
中國古典文學論叢　中外文學月刊社民國六十五年五月印行。
六朝文論　廖蔚卿撰，臺北聯經出版公司民國六十七年四月初版。
中國文學史論文選集　羅聯添編，臺北學生書局民國六十八年四月一版。
古漢語修辭學資料匯編　北京商務印書館編，一九八〇年七月一版。
中國歷代文論選　郭紹虞編，臺北木鐸出版社民國七十年四月再版。
朱自清古典文學論文集　朱自清撰，臺北源流出版社民國七十一年五月出版。

詩言志辨　朱自清撰，臺北漢京文化公司民國七十二年元月出版。
尙書集釋　屈萬里撰，臺北聯經出版公司民國七十二年二月初版。
國史舊聞　陳登原撰，臺北明文書局民國七十三年三月一版。
照隅室古典文學論集　郭紹虞撰，臺北丹青圖書公司民國七十四年十月一版。
中國古代哲學史　胡適撰，臺北遠流出版公司一九八六年一版。
比興、物色與情景交融　蔡英俊撰，臺北大安出版社民國七十五年五月初版。
唐代科舉與文學　傅璇琮撰，陝西人民出版社一九八六年十月一版。
古典文學三百題　上海古籍出版社編，一九八六年十二月一版。
中國古代美學範疇　曾祖蔭撰，臺北丹青圖書公司七十六年四月初版。
唐代文學與佛教　孫昌武撰，臺北谷風出版社一九八七年五月初版。
道教與中國文化　葛兆光撰，上海人民出版社一九八七年九月一版。
中國中古詩歌史　王鍾陵撰，江蘇教育出版社一九八八年五月一版。
中國古代文論家評傳　牟世金主編，中州古籍出版社一九八八年八月一版。
佛教與中國文學　孫昌武撰，上海人民出版社一九八八年八月一版。
半坡拾零　孫霄、謝政編，陝西西北大學出版社一九八八年九月一版。
陝西的遠古人類文化　王秀娥、閻磊撰，陝西西北大學出版社一九八八年十一月一版。

韓愈研究　羅聯添撰，臺北學生書局民國七十七年七月三版。
中國古代文論研究論文集　中國人民大學古代文論資料編選組編，一九八九年二月一版。
華夏美學　李澤厚撰，臺北時報文化出版公司民國七十八年四月初版。
宋代佛教社會經濟史論　黃敏枝撰，臺北學生書局民國七十八年五月初版。
魏晉南北朝文化史　羅宏曾撰，四川人民出版社一九八九年八月一版。
興的起源　趙沛霖撰，臺北明鏡文化事業公司民國七十八年九月一版。
和——中國古典審美理想　袁濟喜撰，中國人民大學出版社一九八九年十月一版。
古典文藝美學論稿　張少康撰，臺北淑馨出版社民國七十八年十一月一版。
清詞史　嚴迪昌撰，江蘇古籍出版社一九九〇年一月一版。
唐宋古文新探　何寄澎撰，臺北大安出版社一九九〇年五月一版。
漢唐佛教社會史論　謝重光撰，臺北國際文化事業公司一九九〇月五月初版。
唐詩的傳承——明代復古詩論研究　陳國球撰，臺北學生書局民國七十九年九月初版。
科舉制度與中國文化　金諍撰，上海人民出版社一九九〇年九月一版。

五、期刊論文

北宋的古文運動　何寄澎撰，臺大七十三年中文研究所博士論文。

中國古代天人鬼神交通之四種類型及其意義　楊儒賓撰，臺大七十六年中文研究所博士論文。
明代文學何以走上復古之路　簡恩定撰，古典文學第十集，臺北學生書局民國七十七年一版。